D0267664

De dam

Selma Noort

De dam

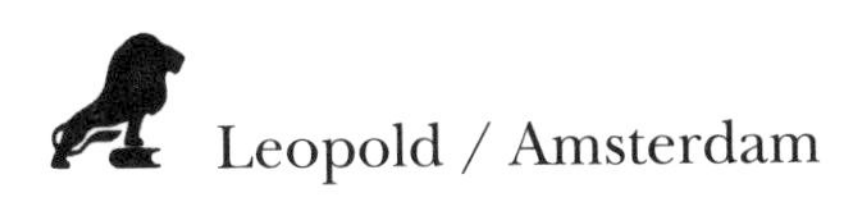

Leopold / Amsterdam

Omslagtekening Annemarie van Haeringen
Omslagontwerp Marjo Starink
NUGI 221 / ISBN 90 258 4128 7

1

Op een smerige parkeerstrook in België stoppen we pas. Mijn moeder stapt uit om de riempjes van Jantjes autostoeltje vast te maken. Hardhandig controleert ze meteen of wij, mijn zus Leila en ik, onze autogordels wel vast hebben.

We waren ze vergeten, van schrik omdat ze onze spullen in de auto begon te smijten en tegen ons schreeuwde dat we mee moesten komen. Dat mijn vader wéér gewoon naar Londen ging en zich niets, niets van haar aantrok. Dat hij dacht ze toch nooit weg zou gaan. Dat ze nergens anders naartoe kon. Nou, dat had hij dan mis.

We hebben nooit eerder in de auto gezeten zonder gordels om. Meestal is mijn moeder erg zuinig op ons.

Jantje wordt wakker en begint te huilen. Hij heeft liggen slapen met zijn hoofd op de sporttas. De afdruk van de ritssluiting staat rood en vurig in zijn wang. Zijn kin en wang zijn nat van kwijl.

Mijn moeder trekt haar vest uit en propt het onder zijn hoofd.

'Leg hier je wang op,' zegt ze. 'Ga maar weer lekker slapen.'

Ik mag plassen in de mist langs de kant van de weg. Stijf hurk ik in het donker. Natte grassprieten prikken in mijn billen. Auto's razen langs. Ik plas tegen mijn blote been, rillend haal ik mijn broekje op. In de verte gaat in een huis het licht aan. Misschien moet daar iemand heel vroeg naar zijn werk. Voor dag en dauw.

Mijn moeder grijpt me bij mijn arm en duwt me de auto in. Haar geduld is op, begrijp ik.

Ze sjort de autogordel opnieuw om me heen en smijt het portier dicht. Ze gaat achter het stuur zitten, start, trekt op, en rijdt weg.

Er is nog niet veel vrachtverkeer.

'Hoe laat is het?' vraag ik.

Ze antwoordt niet.

Ik vergeet mijn vraag. Ik ruik pies aan mijn been. Het duurt een tijdje voor ik doorheb dat het niet mijn been is wat zo stinkt. Dat valt wel mee. Jantjes luier is door- en doornat. Ik voel aan zijn autostoeltje. Het is warm en vochtig. Jantje huilt nu zachtjes, met veel tranen in mijn moeders vest.

Ik wil aan mijn moeder vertellen dat hij een schone luier om moet, maar ik wil niet dat ze boos tegen hem doet. Hij huilt al zo. Dus ik zeg maar even niks. Ik kijk langs Jantje naar mijn zus Leila. Leila's ogen staren naar mijn moeders achterhoofd. Wijdopen en waakzaam.

Jantje zakt verder onderuit. Hij snikt niet langer, zijn oogjes vallen dicht. In de verte rijdt een verlichte trein voorbij. Mijn moeder geeuwt. Ze rekt zich uit en krabt zich. Schudt haar hoofd om wakker te blijven. Reikt naar voren en draait de radio aan. Nachtmuziek klinkt zacht door de auto.

Mijn broertje Willem, naast haar op de voorbank, wordt wakker. Slaperig kijkt hij om zich heen.

'Mama, ik heb dorst.' Zijn stem klinkt schor.

'Zijn we nog in België?' vraag ik.

'We gaan zo ergens iets drinken,' zegt mijn moeder.
'Wanneer is zo?' vraagt Leila.
'Als het licht wordt,' zegt mijn moeder.
'Kun je Frankrijk zien liggen in de verte?' vraag ik.
Leila maakt een schamper geluid.
Het wordt drukker op de weg. We tellen vrachtwagens met aanhangers.
'Zestig!' roept Willem.
'Dat kan niet,' snauw ik. 'Ik ben pas bij vierendertig!'
'Eénenzestig!' telt Willem.
'Jij speelt vals!'
'Als jullie niet ophouden met dat gekibbel, zet ik de auto langs de kant en verkoop ik jullie een lel, begrepen?' zegt mijn moeder.
We zwijgen. Vrachtwagens met en zonder aanhangers passeren ons. Maar we tellen niet meer. Leila is in slaap gevallen. Ze hangt over de koelbox tegen Jantje aan. Mijn ogen worden ook zwaar. Met een knak valt mijn hoofd opzij. Ik ga rechtzitten, maar even later knakt mijn hoofd weer opzij. Ik trek mijn knieën op en sla mijn armen eromheen. Nu kan ik mijn wang tegen mijn knie leggen. Ik kijk nog een keer op. Mijn moeders ogen kijken naar mij in de achteruitkijkspiegel. Ze glimlacht even en knikt me toe.

Ik word wakker van stemmen; er lopen mensen langs de auto. Ik heb gekwijld, met de rug van mijn hand veeg ik mijn wang af.
Het is warm en licht. De zon schijnt. Aan de rand van de parkeerplaats staan bomen. Ik denk dat deze parkeerplaats in een bos is. Misschien zijn we al in Frankrijk.

Mijn moeder ligt met haar armen over het stuur te slapen. Willem ligt tegen de deur aan en Leila slaapt ook nog steeds. Alleen Jantje is wakker. Stil kijkt hij om zich heen. Hij is blij als hij ziet dat ik ook wakker ben.

'Silvie!' roept hij.

Ik pak zijn handje vast en geef er een kus op.

Weer lopen er mensen voorbij. Een stukje verderop ligt een wegrestaurant. Voor het raam hangen foto's van ijsjes en borden eten.

'Silvie, pas doen,' zegt Jantje tegen mij.

'Je hebt al geplast,' zegt ik. 'In je broek.'

'Nog méér pas doen,' houdt Jantje vol.

Plotseling komt mijn moeder overeind. Ze wrijft met haar handen over haar gezicht en draait zich naar ons om.

'Kom maar, kereltje,' zegt ze.

Haar stem klinkt slaperig en niet boos meer. Ze stapt uit en maakt mijn portier open. Het ruikt heerlijk buiten, naar dennenbomen, zon en patat.

'Is hier al Frankrijk?' vraag ik.

'Ja,' zegt mijn moeder.

Ze pakt Jantje onder zijn armpjes en tilt hem de auto uit. 'Ach, wat ben je nat! Kom maar gauw.'

Ik klim naar buiten en kijk hoe ze de kofferbak openmaakt en een luier en schone kleertjes voor hem zoekt. De kofferbak ligt vol plastic tassen en losse spullen. Ik zie Leila's agenda liggen, Willems vliegtuigjes en mijn borduurwerk. Ik ben een kussen aan het borduren met het olifantje Babar erop. Ik gris het tussen de spullen vandaan.

'Mag ik straks in de auto borduren?'

Mijn moeder knikt. Ze heeft Jantje helemaal uitgekleed en is bezig zijn luier vast te plakken. Bloot, mager en bibberend staat hij daar op het asfalt, wankelend stapt hij in zijn schone broekje.

Als hij aangekleed is, neemt mijn moeder hem op haar arm. Ze loopt een stukje met hem weg van de auto en gaat op een houten picknickbankje zitten. Haar kin rust op zijn kruin. Ze staart naar de bosrand.

Ik rommel verder in de kofferbak. Ondergoed van mij, kleren van ons allemaal. Jantjes knuffel, de kralen die ik voor mijn verjaardag heb gekregen! Mijn moeder beloofde me dat ze visdraad voor me zou kopen, zodat ze op school mijn ketting niet kapot konden trekken... Ik stop de kralen veilig weg onder in een plastic tas waar mijn ondergoed in zit. Helemaal achter in de kofferbak zie ik onze fotoalbums liggen.

Ik kijk over de klep heen naar mijn moeder.

Ze zit daar nog stil en geeft Jantje zacht kusjes in zijn haar.

Misschien gaan we nooit meer terug naar Nederland en moet ik naar een Franse school. Ik weet: *merci* is dankjewel en *au revoir* is tot ziens. Ik prevel het voor me uit: *'Merci, au revoir, merci, au revoir.'*

'Mama?' roep ik. 'Hoe zeg je in Frankrijk: Ik heet Silvie en ik ben elf jaar?'

2

We gaan naar de wc bij het restaurant. We drinken er water en wassen onze handen en ons gezicht. Mijn moeder poetst er uitgebreid haar tanden. Ze geeft ons een paar liga's uit het pak voor Jantje, dat altijd in haar tas zit voor als hij ergens begint te jengelen.

Etend lopen we terug naar de parkeerplaats. Vanuit de verte zien we Jantjes stoeltje al, dat mijn moeder te drogen heeft gezet op het dak van de auto.

'Jij moet verder meerijden op het dak,' plaag ik Jantje.

'Ja, we willen jou niet meer binnen,' zegt Willem. 'Want je stinkt naar pies.'

'Nietes,' zegt Jantje. 'Niet, hè mama?'

'We laten Silvie op het dak zitten,' zegt mijn moeder. 'En Willem stoppen we in de kofferbak, goed?'

'Ja, lekker rustig,' zegt Leila. Ze steekt haar tong naar me uit.

Ik geef haar een duw.

'Mama, Silvie duwt me,' klaagt ze meteen.

'Doe me een lol, ja!' zegt mijn moeder, plotseling kortaf. Verongelijkt gaat Leila op haar plaats in de auto zitten.

Mijn moeder vouwt een badhanddoek een paar maal dubbel en legt die over Jantjes stoeltje voor ze hem zijn riempjes omdoet. Ik heb mijn borduurwerk al klaargelegd en neem het op schoot. Willem rikketikt met zijn visvangspelletje op de voorbank.

'Waarom mag Willem weer voorin?' klaagt Leila verder.

'Omdat alles in het leven oneerlijk verdeeld is,' zegt mijn moeder. Ze start de auto en rijdt langzaam naar de benzinepompen.

'Heb je wel Frans geld om de benzine mee te betalen?' vraagt Willem.

Mijn moeder steekt een betaalpasje in de lucht.

'Je vaders creditcard,' zegt ze. 'Die doet het overal in alle soorten geld.' Ze stapt uit, slaat het portier dicht, loopt om de auto heen en schroeft de benzinedop los.

'Wat is een creditcard?' vraag ik.

'Daar kun je mee betalen,' zegt Willem.

'Mama heeft hem gepikt van papa,' zegt Leila.

Ik probeer te begrijpen hoe. Heeft mijn moeder hem uit mijn vaders broekzak gehaald toen hij sliep? Lag hij gewoon in een laatje voor als hij hem nodig had en heeft mijn moeder hem geleend?

Mijn moeder schroeft de dop er weer op en loopt de winkel binnen om te betalen.

'Papa vindt het goed als mama hem gebruikt,' zeg ik.

'Dat had je gedacht,' zegt Leila. 'Die creditcard is van papa's zaak. Voor als hij gaat eten met iemand en zo. Mama heeft hem gejat. Papa weet niet dat ze hem heeft. Hij weet niet eens dat we hier in Frankrijk zijn!'

Willem is opgehouden met rikketikken. Mijn moeder komt de winkel weer uit. Ze zwaait naar ons. Willem en ik zwaaien terug.

Als ze instapt, slaat Willem zijn armen om haar heen. Hij duwt zijn gezicht tegen haar buik. Mijn moeder aait hem over zijn rug.

Ik kriebel in mijn moeders nek.
'Er zit een spin in je nek, mama!'
Mijn moeder speelt het spelletje mee. Zogenaamd bang probeert ze mijn kriebelhand weg te meppen. Ik lach.

Willem kijkt op. Mijn moeder geeft hem een kus op zijn neus en duwt hem zachtjes weg. Ze draait haar hoofd en tuit haar lippen naar mij. Snel geef ik haar een kus.

Achter ons toetert een auto.

Mijn naald trekt halve kruisjes door het borduurgaas. Ik borduur en ik denk.

Vorige maand werd ik elf, toen gaf ik een partijtje. Ik vroeg twee vriendinnetjes uit de klas, en drie uit de straat. En Leila en Willem waren erbij. Ik wilde ze er niet bij maar ze gingen gewoon niet weg. Mijn moeder had een taart gekocht. We deden T-shirt versieren. Er was één pak textielstiften, dus we moesten steeds vragen: Mag ik even rood van jou? Mag ik even groen van jou? Toen we klaar waren, deden we de gordijnen dicht en zetten we cd-tjes op. We dansten en we deden gek.

Papa zou pannenkoeken komen bakken. We wachtten; mama danste mee en maakte grapjes. De telefoon rinkelde om precies kwart over vijf. Mijn moeder drukte de knop van het antwoordapparaat in. Dat doet ze altijd als papa probeert te bellen om te zeggen dat hij te laat komt. Dat hij er niets aan kan doen. Dat hij in de file staat. Dat er net nog een klant kwam. Dat hij nou eenmaal werken moet. Of mijn moeder soms ruilen wil. Dat zij dan maar moet zien te verdienen wat hij verdient. Graag zelfs, liever vandaag nog dan morgen.

Ze stuurde Leila naar de snackbar en Willem naar de supermarkt aan de overkant. We aten patat met appelmoes en knakworstjes.

De kinderen werden opgehaald; hun vaders en moeders vonden hun T-shirts heel mooi en feliciteerden me.

Het was een fijn partijtje.

Papa kwam 's avonds, toen ik al bijna sliep. Hij fluisterde: 'Dag Silvie van al elf jaar' in mijn haren. Hij zat op de rand van mijn bed en vroeg wat ik had gekregen. Wie er op mijn partijtje waren geweest en wat we hadden gedaan.

Hij kietelde me halfdood.

'Mama?'

'Ja?'

'Staat het antwoordapparaat aan?'

Willem en Leila kijken op.

Mijn moeder geeft geen antwoord. Ze stuurt en staart voor zich uit. Plotseling zie ik haar ogen in de achteruitkijkspiegel. Tranen stromen over haar wangen.

'Sorry,' zeg ik geschrokken.

Ik had dat niet moeten vragen, van dat antwoordapparaat.

Mijn moeder rijdt de auto de vluchtstrook op. Ze probeert te kalmeren, haar adem komt hortend en stotend.

Auto's razen ons voorbij.

'Mama?' zegt Jantje.

Hij kijkt van de een naar de ander.

'Silvie? Leila? Immem?'

Vragend spreidt hij zijn handjes alsof hij een versje van het peuterspeelzaaltje opzegt.

3

We rijden een tolweg op. Mijn moeder drukt het gaspedaal diep in.

'Nog een uur of twee,' zegt ze. 'Dan zijn we er.'

'Er?' zegt Leila spottend. 'Gaan we naar dat dorp van tien huizen waar je geboren bent?'

'Ja, daar gaan we heen,' zegt mijn moeder.

Willem draait zich om op de voorbank en kijkt me aan.

'Gaaf!' zegt hij. Zijn ogen stralen.

Mijn moeder is geboren in een klein Frans dorpje. Het ligt op een heuvel langs een riviertje. Ik ben er een paar keer geweest; voor het laatst toen ik zes of zeven was. Bij ons thuis hangen er grote foto's van. Willem en ik in een zonnebloemenveld. Leila op de schommel aan de tak van een eikenboom. Willem en ik die met emmertjes spelen in de rivier. En een grote van mijn moeder die met mijn vader badmintont bij het schapenweitje achter Grandmère's huis.

Grandmère is oma in het Frans. We hadden ook nog een opa toen. Maar die is doodgegaan toen ik acht was. Mijn vader en moeder gingen naar zijn begrafenis. De buurvrouw zorgde voor ons en wij gingen gewoon naar school. Na vier dagen kwamen ze terug, in plaats van na een week zoals ze met ons afgesproken hadden.

Mijn vader haastte zich naar de zaak.

Mijn moeder zorgde weer voor ons.

Ze huilde veel en we troostten haar. We aaiden haar

haren en haar wangen en likten haar tranen op. We gaven kusjes op haar handen en kropen bij haar op schoot. Het is heel erg als je vader doodgaat. Ook al ben je een groot mens en heb je zelf al kinderen.

Mijn moeder vertelde ons vaak over Frankrijk. 's Avonds op de rand van ons bed vertelde ze over hoe het er ruikt en welke bloemen er groeien. Hoe vaak de zon er schijnt en hoe een perzik er smaakt.

We oefenden Franse woordjes met haar.

Bonjour is goedendag. *Maison* is huis. *Une fille* is een meisje.

Voor als we weer bij Grandmère op bezoek zouden gaan.

Maar we gingen er nooit meer heen.

Leila verstaat heel goed Frans. Mijn moeder sprak alleen maar Frans en geen Nederlands tegen haar tot ze negen jaar werd. Ze verstond alles, maar ze wilde het niet meer spreken. Vanaf haar zesde gaf ze alleen nog maar antwoord in het Nederlands.

Toen dacht mijn moeder dat het met mij en Willem ook wel zo zou gaan. Dus ze sprak maar gewoon Nederlands tegen ons, op haar zangerige, Franse manier.

Ik had best Frans tegen mijn moeder willen spreken. Maar mij leerde ze het niet.

Ik oefen. *Maison. Une fille. Merci. Au revoir.* En *onze ans* is elf jaar.

Willem zit op de herentoiletten. Mijn moeder is Jantje aan het verschonen in de babykamer van het wegrestaurant.

Ik ben snel klaar met water drinken, plassen en handen wassen. Er is een grote winkel bij de toiletten, waar van alles is uitgestald wat ik wel wil bekijken. Ik ren de gang door naar een kast met chocola en snoep. Het zijn andere repen dan thuis, maar aan de plaatjes kun je zien of het melkchocola is of puur.

Eerst dringt het niet tot me door, maar langzaam herken ik Leila's stem. Ze praat Nederlands met iemand.

Zoekend kijk ik om me heen. Ze is niet in de winkel. Ik kijk achter me de gang in.

Leila staat bij de telefoons. Ik begrijp niet hoe ze aan Frans geld is gekomen. Stomverbaasd staar ik naar haar. Ze praat haastig.

Ik loop om de kast heen.

'Mama heeft alles meegenomen, ook de fotoalbums,' zegt ze. 'Ze heeft geen Frans geld en we krijgen niks te eten. O, en papa, ze heeft je creditcard van de zaak gepikt. Ze is halfgek, ze deed de kleintjes niet eens hun veiligheidsgordels om. Ze reed de hele nacht door en liet Jantje in zijn eigen pies zitten en...'

'Nietwaar!' schreeuw ik. 'Dat is niet waar, hoor papa!' Ik probeer de telefoonhoorn uit Leila's hand te trekken.

'Ik wil met papa praten, laat los!'

Ik krijs, de mensen in de winkel kijken om. Leila knijpt me, om me stil te krijgen, keihard in mijn arm. Ik ga nog harder krijsen, schel als een varken.

Mijn moeder komt de wc-deur uit, haar gezicht ziet spierwit. Ze trekt Leila's hand hard weg van mijn arm. Haar andere hand slaat ze voor mijn mond zodat ik geen adem meer kan halen en stop met krijsen.

Snel en kalmerend praat ze in het Frans tegen het meisje achter de kassa en tegen een man die naar ons toe is komen lopen. De man wijst naar de telefoon die aan het snoer bengelt. Hij pakt hem op en zegt: *'Allô?'*

Er komt geen antwoord. Even later klinkt de zoemtoon. Hij haalt zijn schouders op en legt de hoorn op de haak.

Mijn moeder staat doodstil. Haar ogen boren zich in die van Leila.

Leila staart keihard terug. Ik voel mijn moeders hand beven tegen mijn lippen. Haar hand ruikt naar wegrestaurantzeep en is nog vochtig en koud.

Ze laat me los en geeft me een duwtje.

'Silvie, Jantje is nog in het toilet, ga jij hem halen,' zegt ze.

Ik ga meteen.

Jantje heeft zijn kans waargenomen en alle papieren handdoekjes uit de automaat getrokken. Ik prop ze in de prullenbak en trek hem mee. Als ik terugkom is Willem er ook en staan ze bij de deur op me te wachten. Zwijgend lopen we terug naar de auto. Mijn moeder zet Jantje vast in zijn stoeltje. Willem en ik gaan op onze plaats zitten. Leila wil ook gaan zitten.

Zacht zegt mijn moeder: 'Blijf staan, jij!'

Ze loopt om de auto heen.

Leila loopt achteruit van haar weg.

'O nee, dat had je gedacht,' zegt mijn moeder. Ze doet een paar snelle passen en grijpt haar beet. Leila worstelt om los te komen.

'Blijf van me af, mama, blijf van me af!'

Haar stem klinkt gesmoord omdat ze vechten. Ze

slaat mijn moeder tegen haar borst. Mijn moeder houdt Leila's nek vast en drukt haar hoofd naar beneden zodat Leila gebukt komt te staan. Ze geeft haar een schop onder haar kont en laat haar los.

Leila veert overeind. Ze schudt haar lange haren uit haar gezicht.

'Rotwijf!' schreeuwt ze.

Mijn moeder stapt in de auto en start de motor.

'Leila!' roept Willem. 'Kom nou!' Zijn stem klinkt bang.

Mijn moeder doet het portier open.

'Ik geef je tien tellen,' zegt ze koud.

Leila komt naar de auto toe lopen. Ze kruipt op de achterbank en leunt zover mogelijk van Jantje en mij af. Ze schokt van het ingehouden snikken.

'Rotwijf,' zegt ze nog eens, zacht maar duidelijk.

4

Het is niet waar wat Leila tegen mijn vader zei door de telefoon. We hebben heus wel wat te eten gekregen. Maar nu heb ik toch wel erge honger.

Ik steek mijn hoofd uit het autoraampje en laat de wind over mijn warme gezicht blazen. Mijn moeder staat, half verscholen tussen een paar hoge bosjes, aan de rand van de parkeerplaats. Ze tuurt naar beneden, het dal in. Ze zei: 'Blijf zitten, ik ben zo terug.' Maar ze staat er al lang en het is heet in de auto.

Ik vergeet dat ik me heb voorgenomen om niet meer tegen Leila te praten.

'Wat doet ze?' vraag ik.

'Ze staat te kijken naar het huis van Grandmère,' zegt Leila. 'Ze durft er niet naartoe natuurlijk. Niemand weet dat ze komt. En dan nog wel met vier kinderen. Bovendien heeft ze ruziegemaakt of zo met oom Gerard, de laatste keer, toen opa werd begraven.'

'Oom Gerard?' vraag ik.

'Oom Gerard, de broer van mama, wakker worden, ja!'

'O, ja,' zeg ik gauw.

Ik was even vergeten dat mijn moeder een broer heeft die Gerard heet, maar nu herinner ik me plotseling dat ze wel eens heeft verteld hoe ze vroeger door hem werd gepest. Dat hij haar zelfs een keer van het bruggetje af in het rivierje heeft geduwd.

'Misschien gaan we wel niet naar Grandmère,' zeg ik. 'Misschien gaan we wel in een hotel.'

'Ja, lekker patat eten en sinaasappelsap drinken en in een groot bad vol schuim,' zegt Willem.

Hij zit omgedraaid op zijn knieën op de voorbank en kijkt opgewonden.

'En morgenochtend een lekker ontbijt met croissantjes en een eitje,' zeg ik. Mijn mond loopt vol water.

'Had je gedacht,' zegt Leila. 'Ook creditcards zijn op een keer leeg.'

Willem en ik kijken elkaar aan. Misschien liegt Leila wel om ons ongerust te maken.

Mijn moeder draait zich om en komt naar de auto toe. Ze probeert te glimlachen.

'Nou, jongens, we zijn er bijna,' zegt ze.

Ze stapt in maar start de auto niet. Ze leunt met haar onderarmen op het stuur en blijft bewegingloos zitten.

Plotseling klinkt er een jammerend kreetje van haar lippen. Ik kan eerst bijna niet geloven dat zij dat geluid maakt. Ze zegt iets in het Frans. Ik kijk naar Leila. Maar Leila zit met haar hoofd gebogen. Haar gezicht gaat schuil achter haar haren. Ik ga staan en buig me naar mijn moeder toe en aai over haar arm.

'Wat zeg je, mama?'

Het zachte kreetje trilt door en wordt een schreeuw. Mijn moeder slaat met haar handen op het stuur. Weer en weer en weer.

'Ik kan het niet!' schreeuwt ze. 'Help me toch! Iemand! Waar moet ik naartoe? Ik wil niet meer bij hem blijven. Ik wil naar mijn eigen huis terug, maar ik durf niet! O, God, ik heb vier kinderen, help me toch!'

Ik heb nooit eerder iemand zo horen schreeuwen. Jantje en Willem huilen hard van schrik. Ik probeer mijn moeders handen vast te pakken. Ik ben bang dat ze zich pijn doet.

'Stil maar, mama!' roep ik. 'Ik wil je wel helpen, zeg maar wat ik moet doen! Wil je een beetje water drinken?'

Mijn moeder legt haar hoofd op haar armen en verbergt haar gezicht. Het gejammer gaat door, soms hard als een schreeuw, soms zacht en trillend. Ik kijk weer naar Leila. Ze is overeind gekomen en zit nu op haar knieën op de achterbank.

'Neem jij Jantje op schoot,' zegt ze tegen mij.

Ze begint mijn moeders rug te aaien, stevig, van boven naar beneden.

'Stil maar, stil maar,' zegt ze.

Zo kan Leila ook zijn.

Leila is naast mijn moeder op de voorbank gaan zitten. Willem zit naast me met zijn wang tegen mijn arm gedrukt, en snikt nog zacht na. Jantje is weer in slaap gevallen. Hij ligt zwaar tegen me aan. Ik krijg er pijn in mijn rug van, maar ik ben bang om te bewegen.

Leila praat tegen mijn moeder.

'Ben je bang voor oom Gerard?' vraagt ze.

Mijn moeder haalt haar schouders op. Meteen begint het jammeren weer.

'Ssst, ssst,' sust Leila. 'Heb je hem zien lopen, beneden? Weet je wel zeker dat hij bij Grandmère is?'

Mijn moeder schudt haar hoofd.

'Hij zou er niet meer zijn, hij zou er niet meer zijn...' En plotseling: 'Het spijt me, jongens. Maar ik ben zo moe...'

Ze begint weer harder te huilen.
Leila denkt na.
'Blijf hier maar even lekker zitten,' zegt ze.
Ze stapt uit. Willem en ik draaien ons hoofd om te zien wat ze doet. Ze maakt de kofferbak open en trekt aan de spullen. Daarna komt ze ons portier openmaken.
'Ik leg deze plaid op het gras, daar, achter de bosjes,' zegt ze. 'Dan kom ik Jantje halen, daar kan hij lekker slapen in de zon. En mama moet er even naast gaan liggen, even slapen.'
Willem en ik knikken. We kijken hoe ze de plaid uitspreidt. Voorzichtig steek ik haar Jantje toe. Hij wordt niet wakker. Als hij ligt, loopt Leila om de auto heen.
'Kom, mama,' zegt ze.
Ze trekt zacht aan mijn moeders arm. Mijn moeder laat zich meetrekken als een klein meisje. Ze gaat op de plaid liggen en krult zich op in de zon. Een zuchtje wind blaast haar haren voor haar ogen. Ze veegt ze niet terug achter haar oor.
Willem en ik gaan een stukje van de plaid af in het hoge gras zitten. We turen over het dal, waardoor een riviertje kronkelt. In de verte rijdt een tractor tussen de velden. Bij een groepje bomen staan wat huisjes bij elkaar. Wat schuurtjes en een hoog stenen kruis, een bruggetje over het riviertje. Een oude man schuifelt langs de weg naar een zonnebloemenveld. Een hond blaft.
'Hoe ziet oom Gerard eruit?' vraag ik zacht.
Willems klamme plakhand zoekt de mijne.
'Heel gemeen, denk ik,' fluistert hij voor zich uit.

We vinden rode bramen in de struiken langs de parkeerstrook. We eten ze op, ook al zijn ze zuur. De zon brandt in mijn nek, mijn rug jeukt van het zweet. Eerst trek ik mijn T-shirt uit en algauw ook mijn hemd. Ik ren rond in mijn witte blote buik. Willem gooit zijn kleren boven op de mijne, hij houdt alleen zijn onderbroek aan. Leila ligt naast mijn moeder op de plaid; ze kijkt maar ze zegt niets. We duiken in het hoge gras om krekels te vangen. Als we er een hebben, laten we hem schreeuwend weer wegspringen. Hij kriebelt zo in je handpalmen. Misschien kan een krekel bijten.

Willem vindt blauwe bessen. Hij laat ze aan Leila zien. Leila zegt dat ze denkt dat het geen bosbessen zijn. Dat hij ze weg moet gooien. Als je giftige bessen eet, ga je dood, kronkelend en gillend van de kramp.

Dan maar liever honger en dorst.

Als Leila niet kijkt, doorzoeken Willem en ik de prullenbak aan het einde van de parkeerstrook. Er zit alleen een stuk beschimmeld stokbrood in. Dat smijten we tussen de bosjes. Ik glijd uit en val tussen de brandnetels. Willem piest op zijn hand en smeert zijn pies op mijn rug. Dat helpt tegen brandnetelpijn, dat weet hij zeker. Geleerd op school, zegt hij.

Er stopt een auto, een stukje van ons vandaan. Een echtpaar helpt een oude vrouw naar buiten. De man klapt drie gestreepte stoeltjes open; de oude vrouw mag zitten met haar gezicht in de zon. Op de achterbank staan een tas en een koeltas. Er komt vruchtensap tevoorschijn, en koel beslagen appels. Water, wijn, stokbrood, kaas en kippenpootjes.

Willem en ik gaan vanzelf telkens iets dichterbij staan.

Ze praten over ons. Eerst doen ze alsof ze ons niet zien. Dan glimlachen ze maar een beetje.

Willem stoot me aan.

'Bonjour,' zeg ik.

'Bonjour,' mompelen ze terug.

'Vraag een kippenpootje,' sist Willem. Hij port me tussen mijn ribben.

Ik zou niet weten hoe ik dat moest vragen in het Frans.

'Vraag het zelf,' snauw ik.

'Mag ik een kippenpootje?' vraagt Willem, gewoon in het Nederlands.

De oude vrouw zegt iets tegen het echtpaar. Ze kijken ons nu alledrie aan, verbaasd. Ze beginnen te begrijpen dat we eten willen. De man geeft ons een stuk brood. Ze schenken wat water voor ons in een bekertje en we krijgen een appel.

'Merci!' zeggen Willem en ik. We lachen en knikken maar veel. En dan rennen we weg met onze spullen naar de bosjes waarachter de plaid ligt. Leila slaapt nu ook. Ik wilde eerst de helft van mijn appel voor haar bewaren maar nu eet ik hem helemaal op.

We plukken bloemen: blauwe, witte, paarse. Een grote bos, met grasaren ertussen. Als de man de klapstoeltjes weer opvouwt, geven we de bloemen aan de oude vrouw.

Ze zegt: *'Merci, mes enfants'* en aait ons over onze wang.

We zwaaien als ze wegrijden.

Mijn moeder, Leila en Jantje slapen nog steeds. We gaan in het gras liggen. Het geluid van de krekels lijkt steeds luider te worden. En het zonlicht wordt geler, bijna oranje. We kunnen de mieren zowat tussen het gras horen lopen.

5

Leila is wakker geworden. Ze trekt mijn moeders handtas onder de voorbank vandaan. Heel even aarzelt ze voor ze het middenvakje openritst en mijn moeders paspoort tevoorschijn haalt. Ze bergt het zorgvuldig weg in het borstzakje van haar bloes.

'Trek je kleren weer aan, jullie vatten kou zo,' zegt ze.

We rennen naar het stapeltje in het gras en beginnen onze spullen aan te trekken. Nu pas voel ik dat ik het koud heb gekregen.

Leila heeft mijn moeders handtas teruggelegd onder de voorbank van de auto. Ze loopt naar de kant van de weg. In de verte horen we een brommer, het geluid komt naar boven, onze kant op. Leila kijkt ons aan.

'Hier blijven. Niet weggaan. Ik kom terug,' zegt ze snel. 'Doe wat ik zeg. Pas op Jantje. Blijf bij mama. Als er een of andere gek komt, of een smeerlap, dan gaan jullie in de auto en doe je de deuren op slot.'

De brommer is er plotseling. Het licht van de lamp schijnt over de weg. Leila steekt haar duim hoog op. De jongen op de brommer kijkt en stopt. Ze wijst in de richting van het stadje. Hij knikt, ze stapt achterop, slaat haar armen om zijn middel. Wij kijken en zij kijkt tot ze de hoek om is. Langzaam sterft het geluid van de brommer weg.

'Doe je hemd in je broek,' zeg ik tegen Willem. Zodat hij maar even weet dat ik nu de oudste ben en dat hij naar me moet luisteren en dat ik niet bang ben.

Willem doet het. We leggen mijn moeders jas over haar en Jantje heen. In het dal gaan de eerste lichtjes aan. Ik weet nu bijna zeker dat het huisje rechtsboven, met de twee schuurtjes die ernaast staan, het huis van Grandmère is. Ik zeg het tegen Willem.

'Ik denk het ook,' zegt hij. 'Want in dat kleine schuurtje houden de buren ganzen.' Hij wijst. 'En in die grote schuur staat het gereedschap. Daar mocht ik nooit komen van opa. Hij was bang dat ik me zou snijden aan de zeis.'

Ik ben verbaasd dat Willem dat allemaal nog weet en dat hij het woord zeis kent. Nu hij ook zegt dat hij denkt dat Grandmère daar woont, ben ik ervan overtuigd dat ik het goede huisje op het oog heb.

'Heb jij er een man gezien, vandaag?' vraag ik.

'Alleen die oude man,' zegt Willem. 'Heb jij ook opgelet?'

'Ja,' zeg ik. 'Maar ik zag niemand die er gemeen uitzag.'

'Leila gaat papa natuurlijk weer opbellen,' zegt Willem.

Ik draai mijn hoofd met een ruk opzij en kijk hem aan.

'Er is daar natuurlijk een telefooncel.' Hij peutert tussen zijn tenen alsof hij niets bijzonders heeft gezegd.

'Wil jij dat Leila papa opbelt?'

Hij haalt zijn schouders op en kijkt me plotseling bang recht in mijn gezicht.

'Ik weet het niet,' zegt hij. Zijn stem klinkt hoog en

schel. Dan buigt hij zijn hoofd en kijkt naar zijn voeten.

We wachten lang. Heel af en toe passeert er een auto. Twee keer gaat Willem op het autoklokje kijken hoe laat het is. Jantje wordt wakker en nog steeds slaapt mijn moeder door. We geven hem de laatste liga uit haar tas en doen hem een schone luier om. Stil zit hij bij mij op schoot. Ik neurie liedjes voor hem. Alle liedjes die ik heb geleerd, Nederlandse en Franse. En ik denk eraan dat ik die allemaal van mijn moeder heb geleerd. Hoe ze ze voor mij zong, 's avonds op de rand van mijn bed.

Maar dan schiet mij een liedje te binnen dat ik van mijn vader heb geleerd. In de auto, op een zaterdagochtend toen hij me naar zwemles bracht. Ik zing het voor Jantje.

'En hoepeldepoep zat op de stoep en at een kommetje erwtensoep...'

Jantje moet erom lachen.

'Weet je van wie ik dat liedje heb geleerd?' vraag ik.

Hij kijkt me vragend aan. Eigenlijk hoopte ik dat hij zou zeggen: 'Van papa.' Maar ik denk dat mijn vader nog geen tijd heeft gehad om dat liedje aan Jantje te leren.

Plotseling klinkt het gierende geluid van een brommer weer in de verte, nu uit de richting van het stadje. Willem en ik staan op. We rekken ons uit en turen in het donker. Jantje klemt zijn armen om mijn nek.

'Silvie, jij moet mama wakker maken,' zegt hij bang. Omdat ik geen antwoord geef zegt hij tegen Willem: 'Immem, je moet mama wakker maken!'

En dan schijnt het licht van een brommerlamp op de

parkeerplaats, en glijdt over het gras naar ons toe. Leila stapt af en gespt een helm los.

'Merci,' zegt ze opgewekt. En: *'Au revoir!'*

De jongen roept ook wat en draait zijn brommer. Met zijn hand groetend in de lucht rijdt hij weg.

We rennen naar haar toe en trekken aan de plastic tas aan haar arm.

Ze heeft een grote zak chips gekocht, een plastic fles met water, twee pakken melk, een zak broodjes, een punt brie en een tros bananen.

Ze slaat onze hebberige handen weg van de tas.

'Eerst maken we mama wakker,' zegt ze.

Willem en Jantje rennen naar de plaid. Ik houd Leila tegen door voor haar te gaan staan.

'Heb je papa gebeld?' vraag ik.

Ze schudt haar hoofd. Ik vraag niet waarom niet; ik geloof haar.

Mijn moeder komt overeind. Ik ren naar haar toe en val op mijn knieën naast haar. Leila komt langzamer achter me aan. Ik streel mijn moeders haar achter haar oren; Willem houdt haar hand vast. Jantje probeert op haar schoot te klimmen.

Leila zet de plastic tas op de plaid.

'Ik ben naar het stadje gelift,' zegt ze.

Ze trekt het paspoort uit haar borstzakje en geeft het aan mijn moeder.

'Ik heb eten gehaald.'

Mijn moeder steekt haar hand uit en neemt het paspoort en de tas van Leila over.

'Merci,' zegt ze.

'Je mag morgen betalen,' zegt Leila. 'Ik heb je paspoort laten zien en gezegd dat we bij Grandmère logeren. En als je 't wilt weten: ik heb hem niet weer gebeld.'

Mijn moeder zwijgt. Ze deelt bergjes chips en we beginnen te eten. Het is nu bijna helemaal donker. Witachtig licht van de lantaarn langs de weg valt over de plaid.

'Ik bel hem zelf,' zegt mijn moeder. 'Hij heeft er natuurlijk recht op te weten waar zijn kinderen zijn.'

'Oom Gerard woont allang niet meer bij Grandmère,' zegt Leila. 'Hij huurt kamers boven de kapper. Je weet wel, die in de hoofdstraat.'

Mijn moeder vergeet te kauwen.

'Ik heb het gewoon gevraagd aan die jongen op die brommer die me naar de winkel heeft gebracht,' zegt Leila.

Mijn moeder begint weer te kauwen. Ze brengt haar hand omhoog en masseert haar stijve nek.

'Aardige jongen?' vraagt ze.

'Uhu,' zegt Leila. Ze begint plotseling hevig te giechelen. Willem en ik lachen mee.

Het is erg fijn dat mijn moeder en Leila geen ruzie meer hebben. Mijn moeder kijkt haar aan met opgetrokken wenkbrauwen.

'Franse jongens zijn veel leuker dan Nederlandse,' zegt Leila. Ze draait met haar ogen, en trekt haar neus vol rimpels. Ze zegt iets in het Frans, alsof ze het over lekker eten heeft.

'Hoe kom je daar nou aan?' vraagt mijn moeder stomverbaasd.

'Dat zeiden ze tegen me,' giechelt Leila verder.

'Wat betekent dat?' roepen Willem en ik.
Afwerend steekt mijn moeder haar handen omhoog.
'God beware me,' zegt ze.

6

Het huis van Grandmère ligt het hoogst van de huizen in het dal. We moeten eerst naar beneden rijden, het bruggetje over. Mijn moeder parkeert naast het kruis en we stappen uit. We moeten omhooglopen langs een donker pad dat is verhard met scherpe steentjes; ik voel ze in mijn voeten prikken door de zolen van mijn schoenen heen. Willem had gelijk, Grandmère's buren houden ganzen in het kleine schuurtje. Ze slaan een oorverdovend gakkend alarm. Van schrik klampen we ons aan elkaar vast. In het huisje gaat een groter licht aan.

Mijn moeder roept iets, sussend.

We klimmen verder, de ganzen blijven tekeergaan als gekken. De deur van het huisje gaat open; een vrouw verschijnt in de verlichte deuropening. Ze schreeuwt iets naar het schuurtje. Niet dat het echt helpt, maar het lawaai wordt iets minder.

'Bonsoir, goeienavond,' roept de vrouw. Ze houdt haar hoofd iets scheef, probeert ons beter te zien.

'Maman!' zegt mijn moeder.

'Claudette!' zegt Grandmère. En daarna volgt er een stroom van woorden. Mijn moeder wordt gekust en kust Grandmère terug. Wij worden het huisje binnen getrokken en bekeken. We kunnen Grandmère eigenlijk best goed verstaan.

Ze zegt: 'Wat zijn jullie groot geworden!'

En: 'Dus dit is nou Jantje, en al helemaal geen baby

meer! Wat een verrassing, wat een verrassing...'

Ze schenkt zoete limonade voor ons in en snijdt stukken meloen. Mijn moeder en Leila praten met haar. Eerst blijven wij stilzitten, netjes op de houten bank aan de tafel. We jagen vliegen weg van de meloenschillen en uit de limonadeglazen. We kijken naar de propvolle vliegenstrips aan het plafond. Tot Willem moet plassen en ik ook.

We glijden van de bank af en nemen Jantje mee. Achter een gordijn zijn twee trapjes, een naar boven, een naar beneden. Eerst gaan we naar beneden. We plassen op de wc onder de trap. Daarna knippen we het licht aan in het washok naast de wc. In alle vier de hoeken zitten een paar spinnen. Grote bromvliegen lopen met hun zuignappoten tegen de witgekalkte muren. Er hangt een sterke geur van schoonmaakmiddelen en waspoeder. Boven de wasmachine zit een raam zonder glas. Strengen uien hangen er te drogen aan een waslijn.

'Kom, we gaan in de schuur kijken,' zeg ik.

Aan de andere kant van het washok zit een deur naar de schuur. Stapels zwarte plastic kratten leunen er tegen de muur. Een paar kratten zijn gevuld met kleine meloenen. De barbecue, zwartgebrand, zit vol stof en gruis. Er ritselt iets onder de dakpannen.

'Een vogeltje,' zegt ik tegen Jantje, die schrikt.

'Een vleermuisje,' verbetert Willem me.

We gaan terug door het washok, het trapje weer op, en langs het gordijn het tweede trapje op.

Ik herinner me de gehaakte sprei op het bed van Grandmère zodra ik hem zie. En ook de ovale spiegel vol bruine plekken in de deur van de linnenkast. Opa's pantoffels staan onder de stoel alsof hij ze net heeft uitgetrokken.

We kijken voorzichtig om het hoekje van de deur van de tweede kamer. Er staat een tweepersoonsbed; het is niet opgemaakt. In een hoek van de kamer is hoog in de muur, tegen het plafond, een laag deurtje. Een houten laddertje leidt ernaartoe. Het deurtje staat op een kier open.

Willem en ik trekken Jantje mee de kamer in. Willem klimt het laddertje op.

'Hier is de hooizolder,' zegt hij. 'Dat weet ik nog. Ik heb er wel eens geslapen, samen met papa. Weet je dat niet meer?'

Ik schud mijn hoofd.

Hij trekt aan het deurtje. Piepend gaat het verder open. Het ritselt vreselijk op de hooizolder. Ik doe een stapje achteruit, weg van het trapje.

'Doe het deurtje maar dicht, Willem,' zeg ik.

'Ja, doe maar dicht, Immem,' zegt Jantje. Onrustig trekt hij aan mijn hand. 'Ik wil naar mama!'

Ik laat me meetrekken. Die donkere hooizolder is niks voor mij. Het wemelt er vast van de spinnen en de muizen en zo.

Mijn moeder zit aan de keukentafel. Ze heeft een sigaret opgestoken en rookt. Ik kijk hoe witte rook vanuit haar mond langs de lamp walmt.

Grandmère zit tegenover mijn moeder met haar handen in haar schoot. Ze heeft een gebloemd schort voor en plotseling weet ik weer dat ik, toen ik klein was, dingetjes in haar schortzak stopte. Dennenappels, takjes en steentjes. Dat ze op me mopperde. Eigenlijk waren het cadeautjes van mij voor haar. Maar ze vond het rommel; ze dacht dat ik haar wilde plagen.

Grandmère kijkt op. Ze strekt haar arm uit en roept Jantje naar zich toe. Een beetje verlegen loopt Jantje langzaam naar de tafel. Grandmère schenkt opnieuw limonade voor hem in. Dat wil hij bij haar op schoot wel opdrinken.

Willem en ik zien een damspel op een plank staan.

'Mama, mogen we dammen?' vraag ik.

Mijn moeder kijkt even opzij. Ze zegt iets tegen Grandmère. Die knikt naar ons dat het goed is.

We leggen het dambord tussen ons in op de lage tafel bij de bank. Een paar vliegen gaan er meteen op zitten. We proberen ze weg te wuiven, maar ze trekken zich er niks van aan.

We dammen. Buiten blaten schapen, hard en doordringend. Heel soms is er, verweg, het geluid van een brommer. Leila zit bij mijn moeder en Grandmère aan de tafel. Ze houdt Jantje bezig, ze bouwt een torentje voor hem van luciferhoutjes.

Mijn moeder praat gedempt tegen Grandmère. Ik vraag me af wat ze allemaal zegt. Ik probeer het te weten te komen door naar Leila's gezicht te kijken. Maar Leila speelt met Jantje. Als ik niet beter wist, zou ik denken dat ze niet luistert.

Mijn moeder wil dat ik boven in het tweepersoonsbed slaap, met haar en Leila.

'Willem kan op de bank,' zegt ze. 'En Jantje bij Grandmère.'

Maar ik wil niet in die kamer met dat deurtje.

Eerst probeer ik het met zeuren.

'Mama, hoef ik niet in die kamer? Ik wil veel liever op de bank. Mama, mag ik op de bank?'

'Silvie, zeur niet,' zegt ze. Ze hoort me niet echt. Ze maakt een gebaar alsof ze een van de vliegen wegjaagt. Ik begin een beetje te huilen en te jammeren.

'Toe zeg, hou op met janken,' zegt mijn moeder terwijl ze mijn kleren van me af begint te trekken en over een stoel hangt. 'Sta stil.'

Maar ik sta niet stil. Ik werk tegen en houd met mijn handen mijn mouwen vast. Mijn moeder geeft me een draai om mijn oren.

Ik begin harder te huilen: misschien helpt Grandmère me. Maar Grandmère kijkt afkeurend.

'Ze is bang van het deurtje naar de hooizolder,' zegt Willem. 'Mama, ze vindt het daar eng.'

Mijn moeder kijkt van Willem naar mij.

'Waarom dan?' vraagt ze. Maar ik zie aan haar gezicht dat ze het begrijpt.

'Er zitten daar alleen een paar kleine spinnetjes,' zegt ze. 'Een paar muisjes, misschien. Hemel, zeker niks om zo'n toestand over te maken.'

Maar intussen praat ze al tegen Grandmère en haar handen trekken nu zachter aan mijn kleren.

Leila heeft wat van onze spullen uit de kofferbak gehaald. Jantjes knuffeltje, mijn nachtpon met Winnie-the-Pooh erop. Ik trek hem over mijn hoofd. Hij ruikt naar thuis, naar mijn kamertje in onze straat. Verweg. Naar mijn vader in Nederland. Ik loop naar de bank en kruip onder de deken die Grandmère eroverheen heeft gelegd. Niemand komt me goedenacht kussen.

Ik hoor Willem naar boven gaan, en Leila, en mijn moeder met Jantje. Grandmère knipt het licht uit. Ik hoor krekels buiten en ruik nog sigarettenrook. Zo nu en dan gakken de ganzen in de schuur zacht.

De bank is gemaakt van namaakleer. Hij voelt koel aan onder me en stinkt naar kunststof.

Ik wou dat ik thuis in mijn eigen bed lag. Mijn vader was er wel nooit, maar hij kwam me tenminste welterusten wensen. Altijd en altijd kwam hij me een kus geven en kijken als ik sliep. Soms hoorde ik hem scharrelen bij mijn bureautje waar mijn nachtlampje op stond. Dan keek hij tussen mijn tekeningen. Ik legde ze daar speciaal neer zodat hij ze 's nachts zou zien.

Ik huil op die vieze ouwe bank in Grandmère's huis.

Niemand hoort me en niemand komt me troosten.

7

Grandmère is vroeg op. Ze zet koffie en trekt de deken van me af. Ik sta daar in mijn Winnie-the-Pooh pon. Ze wil dat ik de tafel dek. Ik pak de borden van haar aan en zet ze op tafel. Tweemaal drie aan de lange kant. Messen, koffiekommen, het pak melk dat we gisteren overhielden, boter en jam. Grandmère haalt nog meer meloenen uit de schuur. Ze heeft maar een klein stuk brood in huis, genoeg voor zichzelf en nog wat over.

Even zie ik haar aarzelen voor ze het in zes gelijke stukken snijdt. Ze krijgt er een kleur van en kijkt op. Gauw draai ik mijn hoofd om. Ze roept me. Langzaam loop ik naar haar toe. Ze schenkt koffie voor me in met heel veel melk en wel vier suikerklontjes. Ze schuift de kom over de tafel naar me toe en zegt dat ik moet gaan zitten.

Ik lust geen koffie. Ik drink met piepkleine slokjes en kijk naar de vliegen die over het brood lopen.

Grandmère is naar buiten gegaan. Ze heeft de deur vastgezet met een steen. Er komt wat warmte van de zon binnen.

Als ik mijn koffie op heb, loop ik naar de deuropening en kijk naar de schapen die op de helling voor de bosrand grazen. Grandmère's schort hangt over een stoel. Ik buk me en pak een handjevol scherp grind van het pad; snel laat ik het in haar schortzak glijden.

Meteen heb ik er spijt van. Toch laat ik het erin zitten. Ik stap in mijn sandalen, loop naar buiten en laat de zon op me schijnen. De schapen zijn bang. Ze springen weg als ik naar boven loop in mijn nachtpon.

Ik zeg: 'Ik doe jullie niks hoor, echt niet.'

Maar ze geloven me niet.

Aan het eind van het weitje staat een reusachtige eikenboom. Een scheve schommel hangt aan de onderste tak. Ik herinner me de schommel nog, en herken hem van de foto's thuis. Ik loop ernaartoe en veeg met mijn hand over de plank. Hij is alleen een beetje vochtig van de nacht, maar niet vuil. Ik ga erop zitten en zet af. Achter het huis, beneden, loopt het weggetje waarover we gisteravond zijn gekomen. Er loopt een man over het bruggetje.

Ik zie onze auto staan naast het kruis.

Er beweegt iets op het gras. Ik houd mijn adem in. Het zijn twee konijntjes. Ze rennen en buitelen om elkaar heen. Soms verdwijnen ze even in het hoge gras en plotseling verschijnen ze dan weer een eindje verderop. Ineens klinkt er hard geritsel in het bos aan het einde van het weiland waar de schapen staan. Heel even denk ik: Een beer! Ik weet eigenlijk niet of er nog wilde beren in Frankrijk leven. Geschrokken probeer ik de schommel te stoppen. Voor ik eraf kan springen schiet er een bruin dier tussen de bomen vandaan. De konijntjes vluchten weg.

Ik gil nog net niet. Het is een hond, een herdershond. Hij blijft staan en kijkt naar mij en ik naar hem. Dan draait hij zijn kop om en draaft op zijn gemakje naar beneden, naar de andere huisjes.

De schommel hangt stil. Nu pas hoor ik roepen. Het is Grandmère. Ze heeft Jantje op haar arm en wenkt me. Aan haar voeten staat in het grind een wasmand. Langzaam loop ik naar haar toe. Ze drukt me een mandje met rare grote knijpers in mijn handen en neemt Jantje weer mee naar binnen.

Nou, het is wel duidelijk dat ze wil dat ik de was ophang. Ik sjouw de mand terug het weitje over, naar de waslijnen. De schapen komen kijken wat ik doe. Ze staan met hun kinnen op het ijzerdraad van het hek en blaten.

Grandmère heeft grote onderbroeken, met bloemen, en soms met pijpjes. Ik hang ze allemaal naast elkaar, en zoek zorgvuldig dezelfde kleur knijpers uit. Alle onderbroeken met roze knijpers. De hand- en theedoeken met blauwe. De twee grote bh's met gele knijpers en de twee gebloemde schorten met groene. Ik steek mijn tong uit tegen de schapen.

'Bèèèhh!' roep ik vanachter het wasgoed.

Een paar schapen geven antwoord. Daar moet ik om lachen.

De wasmand is leeg, ik doe een stap achteruit om de waslijnen te bekijken. En dan begrijp ik ineens waarom grandmère kwaad wordt als ik steentjes in haar schortzak doe. Ze heeft niet altijd hetzelfde schort aan. Ze heeft er een paar die erg op elkaar lijken. En als ze die in de was doet, dan komen die steentjes in de wasmachine terecht. Ik krijg het er warm van.

Ik grijp de wasmand en ren naar beneden.

Leila, Willem en Jantje zitten al aan tafel. Grandmère en mijn moeder staan bij het aanrecht; Grandmère heeft haar schort voor. Ze draait zich naar me om en glimlacht.

'Grote meid,' zegt ze tegen me in het Frans. Ze neemt de lege mand van me over en zegt dat ik moet gaan zitten.

Willem heeft zijn bloes scheef dichtgeknoopt. Hij stoot me aan. 'We eten lekker meloen voor het ontbijt,' zegt hij.

Na het eten helpen we de tafel afruimen. Ik was af, Leila droogt af, en Willem bergt alles op in de kast. Mijn moeder loopt heen en weer met onze spullen uit de kofferbak. Op de tafel vouwt ze onze kleren opnieuw op. Ze maakt stapeltjes, één voor ieder kind. De kleren van Jantje, Willem en zichzelf brengt ze naar boven; de stapeltjes van mij en Leila blijven op tafel liggen. Ze loopt weer naar buiten en komt terug met Willems sporttas. Ze legt mijn kleren er netjes in. Mijn borduurwerk stopt ze in het zijvak, bij mijn kralen.

'Silvie, ik heb al jouw spullen in deze tas gedaan,' zegt ze. 'Ik zet hem achter de bank.'

Ik knik en kijk.

Ze legt de fotoalbums op de plank in de kamer, naast het damspel en een vaasje plastic bloemen.

Als ik klaar ben met de afwas, kleed ik me aan. Mijn moeder zegt tegen Leila dat ze haar spullen boven in de kast moet leggen. Ze blijft heen en weer lopen tot ze de kofferbak leeg heeft. Zo nu en dan veegt ze over haar gezicht. Haar tranen weg.

Jantje en Willem spelen met Willems vliegtuigjes en zijn knikkers, die uit de auto tevoorschijn zijn gekomen. Onder de kast is een stukje uit een vloertegel gebroken en dat is precies een goed knikkerputje. Ze kijken niet naar mijn moeder; Leila en ik ook niet. Leila verdwijnt met haar stapeltje naar boven en ik kijk naar mijn gezellige nieuwe kamertje.

Willems stinktas en die ouwe stinkbank.

En ik heb geen zin om mijn moeder te troosten.

8

Grandmère zegt dat ze geen last heeft van Jantje. Dat hij geen kwaad kan in en om het huis. Ze wil best een oogje op hem houden zodat mijn moeder even met ons naar het stadje kan.

Leila mag voorin. Willem en ik zitten achterin op onze knieën voor de achterruit. We kijken naar boven. Grandmère heeft haar strooien hoed opgezet. Ze moet meloenen plukken op het veld. Jantje loopt achter haar aan het pad af. Hij draagt een klein, groen, lek gietertje.

Van beneden af kun je het kruis niet meer zien; als we naar boven rijden komt het weer tevoorschijn.

'Jullie moeten straks goed kijken,' zegt mijn moeder. 'Aan de rechterkant, op een hoge heuvel, daar staat een kasteel.'

Willem en ik draaien ons om en rekken onze nek.

'Straks pas,' zegt mijn moeder. 'Nog een eindje verderop.'

Er rijdt een vrachtwagen voor ons. Langzaam gaan we heuvel op, heuvel af. Mijn moeder passeert niet. Ze neemt de tijd om om zich heen te kijken.

'Daar!' wijst ze na een tijdje.

Het kasteel komt vanachter de bomen tevoorschijn. Willem en ik kijken, draaien ons om en kijken nog langer tot we het niet meer kunnen zien.

'Woont daar iemand?' vraagt Willem.

'Ridders,' zeg ik.

'Een miljonair,' zegt mijn moeder.

Het stadje ligt aan hetzelfde riviertje dat door het dorpje loopt.

Mijn moeder parkeert langs het water. Willem en ik rennen naar het hekje toe en kijken naar beneden. Er drijven lange slierten waterplanten boven de steentjes op de bodem. De waterplanten zitten vol witte bloempjes. Het is een mooi gezicht.

Mijn moeder komt naast ons staan.

'Kijk,' zegt ze.

We volgen haar uitgestoken vinger en zien twee gele kano's snel dichterbij komen.

'Als je rent, kun je ze van het watervalletje zien gaan,' zegt mijn moeder.

Willem en ik rennen met de stroom mee, klimmen een trapje op en staan op een brug. De kano's varen onder ons door. In de ene kano zit een man en in de andere een vrouw. Ze schreeuwen iets naar elkaar en lachen. Het zijn Duitsers. Ze kunnen goed kanovaren. Ze wippen het watervalletje af alsof ze het al vaak gedaan hebben.

'Slaat er wel eens iemand om?' vraag ik aan mijn moeder, die ons achterna is gelopen.

'Heel vaak,' zegt ze. Ze lacht. 'Je zult het nog wel zien.'

We lopen haar achterna, een parkje door naar een winkelstraatje. Het ruikt er heerlijk naar vers brood. In een machine die op straat staat draaien gebraden kippen rond aan een spit. Op de hoek van de straat staan wat marktkraampjes. Mijn moeder wijst.

'Ik ga proberen jullie vader te bellen,' zegt ze. 'Daar in het postkantoor. Willen jullie mee naar binnen of willen jullie hier blijven?'

'Hier blijven,' zeggen Willem en ik tegelijk.

'Mee naar binnen,' zegt Leila.

'Jij blijft bij de kleintjes,' zegt mijn moeder.

Ze steekt over en gaat het postkantoor binnen.

Willem en ik kijken vanaf een afstandje naar de marktkraampjes. Een oude man verkoopt aardbeien. Daarnaast staat een kraampje met vreemde dingen. Een soort grijze drollen.

'Worstjes,' zegt Leila.

'Dat eet ik niet, hoor,' griezelt Willem.

'Dan niet,' zegt Leila. Ze haalt haar schouders op.

Er rijdt een brommer door de straat; het is de jongen van gisteren. Hij stopt langs de stoeprand.

'Jullie blijven hier,' zegt Leila.

Ze stapt naar hem toe. Hij heeft een aardig gezicht. Hij steekt zijn hand op naar ons. Willem en ik zwaaien terug. We gaan op de stoeprand in de zon zitten. Als ik mijn ogen dichtdoe, zie ik oranje licht.

'Zullen we een ijsje uitzoeken?' vraagt Willem.

Ik doe mijn ogen weer open. 'Waar?'

Willem knikt naar een groot kartonnen bord dat op straat staat.

'Goed,' zeg ik.

We lopen ernaartoe. Ze hebben in Frankrijk ander ijs dan in Nederland. Maar sommige zijn hetzelfde. Het is niet makkelijk om te kiezen. Er zitten er heel veel bij die ik nog nooit heb geproefd.

'Deze,' wijs ik aarzelend.

'En ik wil deze,' wijst Willem.

Er is een man achter ons komen staan. We hebben het niet gemerkt. Hij schuift de vrieskist open en haalt de ijsjes eruit die we hebben aangewezen.

'Nee,' zeg ik. *'Non, non.'* Ik schud mijn hoofd.

Niet begrijpend kijkt de man ons aan. Ik weet niet hoe ik het uit moet leggen. Dat we alleen maar een lekkere wilden kiezen, zomaar, om te spelen. Dus ik ren weg. Willem komt me achterna. We rennen om het kraampje met aardbeien heen en gaan op onze hurken achter een auto zitten.

De oude man achter het kraampje heeft het gezien. Hij wacht tot de man van de ijsjes weer zijn winkel binnen is gegaan, dan wenkt hij ons. Hij lacht niet. Schoorvoetend gaan we naar hem toe.

Zijn gezicht is zo gekreukeld, zo bruin en zo vol zwarte stoppels dat je zijn ogen bijna niet kunt zien. Hij strekt een bruine, brede, oude hand uit met twee reusachtige aardbeien erin. Willem en ik pakken allebei een aardbei.

'Merci,' zeggen we zacht.

Ik weet plotseling hoe je het nog beter kan zeggen. *'Merci bien, monsieur,'* zeg ik.

Hij tilt zijn hoofd een beetje op en nu zie ik zijn kleine oogjes glinsteren onder zijn grijze wenkbrauwen. Hij zegt iets terug. Ik kan hem niet verstaan. Maar ik weet zeker dat hij iets vriendelijks zegt.

'Wat zegt hij?' vraagt Willem met zijn mond vol. Rood sap druipt langs zijn kin.

'Eet maar lekker op, aardige kinderen,' zeg ik.

Leila is achter op de brommer gestapt. Ze trekt een helm over haar oren.

'Even een eindje achterop, alleen maar een rondje,' roept ze naar ons. 'Ik ben zo terug!' En weg schieten ze.

Willem en ik hebben een mierennest gevonden tussen twee stoeptegels in. We peuren in de voeg met een ijsstokje. De mieren beginnen te rennen. Ze rennen alle kanten op, de gaatjes in en uit en tegen het plakkerige stokje op.

'Mieren zijn net soldaten,' zegt Willem. 'Ze hebben een leger en ze vechten tegen elkaar.'

'O!' zeg ik verbaasd. 'Hoe weet jij dat?'

'Dat heeft papa aan mij verteld,' zegt Willem.

'Het was natuurlijk maar een verhaaltje,' zeg ik.

Willem schudt zijn hoofd.

'Nee, het is echt zo,' zegt hij. 'Ze hebben ook een koningin.'

'Je bedoelt zeker bijen,' zeg ik.

'Nee, mieren!' zegt Willem.

Mijn moeder staat plotseling naast ons.

'Waar is Leila?' vraagt ze.

'Met die jongen mee, van gisteren, met die brommer,' zeg ik.

Willem gooit het stokje weg. We staan op.

'Alleen maar een rondje rijden, ze komen zo terug,' zegt Willem.

'Die snertmeid had bij jullie moeten blijven,' zegt mijn moeder. Maar ze klinkt niet echt kwaad. Ze kijkt naar het terrasje aan de overkant, waar het bord met de ijsjes staat.

'Ik heb geld opgenomen,' zegt ze. 'Kom, we gaan croissantjes eten, en koffiedrinken.' Ze loopt naar een tafeltje.

'Die man die dacht daarnet dat wij een ijsje wilden kopen,' zeg ik, terwijl ik achter haar aandraaf. 'Maar we keken alleen maar.'

Voor de zekerheid pak ik haar hand vast.

Mijn moeder zoekt een tafeltje in de zon uit. Ze gaat zitten, strekt haar benen en zucht diep. De man van de ijsjes komt meteen naar buiten. Hij kijkt, eerst naar mijn moeder en dan naar ons. Hij herkent ons, maar hij zegt niets. Mijn moeder bestelt zwarte koffie en twee coca-cola. De man gaat weer naar binnen.

Ze drukt me geld in mijn hand.

'Ga naar de bakker,' zegt ze. 'En dan zeg je netjes: bonjour. En dan wijs je de croissantjes aan en dan zeg je: dies.'

'Dies?' vraag ik.

'Ja, dies.'

'Wat betekent dat?' vraag ik.

'Tien,' zegt mijn moeder. 'Ze hebben ook stokbroden. Daar wijs je naar en dan zeg je: kattre. En als je hebt betaald, zeg je: merci madame. Ga nou maar.'

Ik blijf staan met het geld in mijn hand.

'Dat kan ik niet onthouden,' zeg ik. 'Ik weet het nou al niet meer.'

'Dies! Kattre!' zegt mijn moeder ongeduldig. 'Gewoon aanwijzen! Kom op, niet tutten, ga even brood halen.'

Ze geeft me een duwtje. De man komt naar buiten met de koffie en de cola op een dienblaadje. Ze geeft me een harder duwtje. Boos laat ik me wegduwen. Ik ben alweer vergeten wat ik moet zeggen. Ik loop het terrasje af en kijk om. Mijn moeder roert in haar koffie, ze kijkt me na.

'Dies!' roept ze. 'Kattre!'

Mompelend loop ik naar het bakkerswinkeltje. Maar ik durf niet naar binnen.

Er stopt een brommer achter me. Leila stapt af.

'Waar is mama?'

'Ik moet brood halen, maar ik weet het niet meer,' zeg ik, blij haar te zien.

'Wat moest je halen?'

'Tien croissantjes en vier stokbroden.'

'Heeft ze geld dan?'

Leila steekt haar hand op naar de jongen. Hij rijdt weg. Ze pakt me bij mijn schouder en duwt me voor zich uit naar binnen. Het is donker in het winkeltje.

'Bonjour madame,' zegt Leila netjes.

'Jij moet het zeggen,' zegt ze tegen mij.

'Ik weet het niet meer,' stribbel ik tegen.

'Dix croissants,' zegt Leila zacht voor.

Ik zeg haar na.

De vrouw lacht naar ons en doet de croissants in een papieren zak. Ze telt ze hardop in het Frans, alsof ze het mij wil leren: *'Un, deux, trois, quatre, cinq, six, sept, huit, neuf, dix.'* Ze is erg aardig.

Ik wijs naar de stokbroden.

'Quatre,' zeg ik.

De vrouw wikkelt ze in een papiertje. Ik leg het geld dat mijn moeder me heeft gegeven op de toonbank. Ze telt het en geeft me nog wat wisselgeld.

'Merci madame,' zeg ik. Nou heb ik toch boodschappen gedaan in het Frans. Ik mag zelfs een snoepje uitzoeken uit een plastic doosje. Trots loop ik met de stokbroden terug naar het terrasje, Leila draagt de croissantjes.

'Ik zei dat je bij de kleintjes moest blijven,' zegt mijn moeder als ze haar ziet.

'Wij zijn niet klein,' zeg ik.

'Hou jij je mond,' zegt mijn moeder. Ze deelt croissantjes uit.

'Wil je cola?' vraagt ze aan Leila. Leila knikt.

'Ga maar even vragen binnen,' zegt mijn moeder.

Leila loopt naar binnen en komt weer naar buiten.

'Wat zei papa?' vraagt ze.

Mijn moeder kauwt haar mond leeg.

'Hij was natuurlijk niet thuis,' zegt ze. 'Het antwoordapparaat stond aan.'

'Je had ook naar de zaak moeten bellen!' snauwt Leila.

'Daar was hij ook niet,' zegt mijn moeder. 'Ze zeiden dat hij naar Londen was.'

Leila krijgt een kleur.

'Maar ik, ik belde hem toch nog... ik heb hem verteld waar we heen zijn... dat we weg zijn...' hakkelt ze.

Mijn moeder schopt haar schoenen uit. Ze legt haar blote voeten op Willems knieën en kijkt omhoog naar de blauwe lucht. Ze sluit haar ogen en laat de zon op haar gezicht schijnen.

'Het regent in Engeland en het regent in Nederland,' zegt ze. 'Ik zei dat het hier mooi weer was.'

9

Als we thuiskomen, zien we een paar keurig opgestapelde kratten vol meloenen in het grind voor het huis staan. Grandmère's schort hangt eroverheen. Ik steek mijn hand in de zak en pulk alle steentjes eruit. Grandmère staat plotseling achter me.

'Wat doe je?' vraagt ze bozig.

Ze duwt mijn hand weg van de schortzak en voelt erin. De zak is leeg. Ik ren met mijn volle hand naar buiten en laat het grind terugvallen op het pad terwijl ik verder ren. Helemaal boven aan het weitje begint een bospad. Ik ren een stuk het pad op tot ik zeker weet dat Grandmère me niet meer kan zien of roepen.

Het is donker en stil in het bos. Een tapijt van blaadjes dempt het geluid van mijn voetstappen. Ik moet er toch eens aan denken mijn moeder te vragen of er nou nog beren in het wild in Frankrijk leven.

Het bospad eindigt zomaar. Eerst wring ik me nog door wat struiken omdat ik denk dat het daar wel weer verder zal gaan. Maar het is gewoon afgelopen, het loopt nergens naartoe. Ik moet dus terug of verder door het bos lopen.

Aarzelend kijk ik tussen de bomen. Ik zou naar beneden kunnen gaan, dan moet ik vanzelf bij het riviertje terechtkomen. En als ik het riviertje heb gevonden, moet ik het volgen tot het bruggetje, en daarvandaan kan ik het kruis alweer zien. Ik denk dat ik de weg wel weet en begin af te dalen, tussen de bomen en de struiken door. Op de bosspinnetjes let ik niet, die zijn klein en mager. Daar ben ik niet bang voor. Elke keer als er iets ritselt neem ik de tijd om te kijken. Het zijn altijd vogels.

'Zie je wel, niks om bang voor te zijn,' zeg ik tegen mezelf.

Na verloop van tijd staan de struiken dichter op elkaar. Ik hoor het geluid van water. Krakend stap ik door de bosjes.

De rivier is hier ondiep en smaller dan in het stadje. Hij kabbelt snel over grote en kleine steentjes. Een wolk muggen danst midden boven het water.

Ik ga op een grote steen zitten en trek mijn sandalen uit. Het water is koud. De stroom trekt mijn voeten mee. Ik lach hardop, er is toch niemand die me hoort. Er zitten zelfs kleine visjes in het poeltje bij de steen waarop ik zit. Ze komen vlak bij mijn voeten maar raken ze net niet aan. Ik probeer er een te vangen in de kom van mijn hand. En ik praat tegen de visjes. Er is alleen het geluid van mijn stem en het geluid van de vogels.

Ik probeer een stukje met de rivier mee stroomafwaarts te lopen. Dan moet ik vanzelf bij het bruggetje komen. En als ik door zou lopen zelfs bij het stadje. Maar na een klein stukje doen mijn voetzolen al zeer van de scherpe steentjes. Ik zou mijn watersandalen aan moeten hebben. Maar die liggen in Nederland op de zolder van een huis waar alleen nog maar een vader woont.

Ik loop terug het dorpje door en volg de weg een aardig eind in de richting van het stadje. Het lijkt wel alsof ik alleen maar omhoog moet, en de weg nooit omlaag gaat. De zon brandt op mijn haar. Net als ik besluit dat ik maar beter terug kan gaan, zie ik in de verte, aan de rand van een veld, een man. Hij is druk bezig kratten groente in de achterbak van een blauw bestelwagentje te laden, bukt en strekt, bukt en strekt. Mij ziet hij niet. Ik hurk tussen de bosjes en houd mijn adem in. Mijn hart klopt zwaar en snel. Ik kan me niet herinneren waar ik hem eerder heb gezien. Maar dat ik hem eerder heb gezien is zeker, want ik herken hem meteen. Het is oom Gerard.

Ik wil eerst wegrennen, zo hard mogelijk terug de weg af. Maar dan bedenk ik dat hij me zal zien. Me misschien achterna zal komen. En dan komt hij vanzelf bij mijn moeder terecht. Dus ik blijf doodstil zitten. Zelfs de vlieg die over mijn arm loopt jaag ik niet weg.

Hij heeft een scherpe neus, oom Gerard. En donkere, priemende ogen. Hij lijkt op mijn moeder maar toch ook weer niet. Mijn moeder heeft al veel grijze haren, maar al zijn haren zijn nog donkerbruin. Hij is klaar met inladen en stapt in de bestelwagen.

Met een rustig gangetje rijdt hij me voorbij, de weg af naar het bruggetje. Zijn bruine elleboog steekt uit het raam en hij fluit tussen zijn tanden. Niet echt een liedje. Gewoon een fluitgeluidje. Ik ben bijna misselijk van angst maar ik weet niet waarom. Alleen maar dat als mijn moeder zo bang voor hem is, dat ik dan ook maar beter bang kan zijn.

Pas als hij ver weg is, durf ik me te bewegen. Eerst kruip ik tussen de bosjes uit. Dan begin ik te rennen. Ik ren de hele lange weg naar beneden tot aan het bruggetje, en weer omhoog het dorpje in naar het kruis.

Jezus hangt daar treurig, zijn hoofd scheef. Over zijn gezicht loopt een roestige streep, alsof hij een traan van bloed heeft gehuild.

'Jezus,' zeg ik. 'Laat oom Gerard weggaan!'

Tegen het grindpad op ren ik verder naar boven. Grandmère staat voor het huis alsof ze wist dat ik zou komen.

Ze zegt niet: 'Wil je een glaasje limonade, mijn lieve kind.' Ze drukt me de lege wasmand in mijn handen en wijst naar de waslijnen.

'Allez, vite!' zegt ze geïrriteerd, als ik nog sta te hijgen. Ze spreekt Frans, maar ik kan haar verstaan. Ze zegt zo ongeveer dezelfde dingen als mijn moeder altijd. 'Nou, waar wacht je nog op?' zegt ze.

Leila komt bij me zitten. Ik schommel en zij leunt tegen de boomstam. We kijken naar het dorp beneden. Een enkel raampje is al verlicht, een haan kraait en een hond blaft. Alle geluiden zijn vertrouwde geluiden; ik ken ze nog van de vorige keren dat ik hier was. Ook al kan ik me daar niet veel meer van herinneren. Het is net zoals met oom Gerard. Je kunt je niet meer herinneren dat je hem wel eens hebt gezien, maar als je hem tegenkomt, weet je dat hij het is.

'Ik heb oom Gerard gezien,' zeg ik.

Ik houd de schommel stil door mijn voeten in het zand te zetten.

Leila kijkt op. 'Waar?'

'Hij was aan het werk in een veld langs de weg, hier niet zo ver vandaan.'

'Niks tegen mama zeggen,' zegt Leila snel.

Mijn moeder komt naar boven lopen. Ze heeft haar lichtblauwe vest aan over haar gebloemde zomerjurk; ze ziet er mooi uit.

'Zo, meiden,' zegt ze. Ze glimlacht en gaat naast Leila zitten. Ze kijkt ook naar beneden, naar het dorp.

'Precies zoals jullie, zo zat ik hier vroeger ook met mijn zusje Juliette,' zegt ze.

'Tante Juliette,' zeg ik. Ik ken tante Juliette van foto's. Ze vergeet nooit ons verjaardagskaarten te sturen. En kerstcadeautjes, ieder jaar, in glimmend papier verpakt.

'Is tante Juliette ouder of jonger dan jij?' vraag ik.

'Eén jaartje jonger,' zegt mijn moeder. 'Zij wilde altijd schommelen en ik moest haar duwen.'

Ze staat op en klopt de rok van haar jurk af.

'Hou je vast!' zegt ze.

Ik grijp de touwen van de schommel beet en suis al over het gras. Ze duwt me tegen mijn billen tot ik haast over de kop sla. Ik gil van het lachen.

'Hoger, mama, hoger!' roept Leila.

'Nee, niet hoger!' schreeuw ik.

Mijn stem klinkt hard tussen de heuvels.

'Ssshht!' zegt mijn moeder. 'Niet zo schreeuwen!'

De schommel mindert vaart.

'Nog een keer,' smeek ik.

Mijn moeder duwt weer, zachter dit keer.

Er rijdt een brommer het erf op. Leila springt overeind.

'Mama, mag ik even mee?'

Mijn moeder kijkt naar de jongen op de brommer.

Hij zet zijn helm af en draait zijn gezicht naar ons toe. Zijn bruine, lange haren bewegen zacht in het briesje.

'Bonsoir!' roept hij naar boven. Hij steekt zijn hand op. Mijn moeder zwaait terug.

'In de keukenla ligt wat wisselgeld,' zegt ze tegen Leila. 'Neem dat mee.'

Leila loopt al naar beneden. Plotseling draait ze zich om. Ze loopt terug en geeft mijn moeder een kus.

'Merci,' zegt ze. Ze rent weer weg.

We kijken ze na tot het rode achterlicht van de brommer is verdwenen. Afwezig kriebelt mijn moeder in mijn nek.

'Mama?'

'Hmmm?'

'Waarom ben je bang voor oom Gerard?'

'Oom Gerard... is een slecht mens.'

'Heeft hij iemand doodgeschoten?'

'Nee, ach nee, zoiets is het niet.'

'Wat dan? Is hij een dief?'

'Ach welnee, gekke meid, hij... 't is heel wat anders.'

Mijn moeder draait zich om. Met de hak van haar sandaal schopt ze in het gras. Ze staart naar de schapen, naar het bos. Ze slikt en probeert zich te beheersen, maar het lukt niet. Met een stem dik van tranen praat ze tegen me.

'Let er maar niet op dat ik huil,' zegt ze. 'Het gaat de hele tijd vanzelf, ik kan het niet tegenhouden.'

Ze gaat weer tegen de boom zitten. Ik spring van de schommel af en ga naast haar zitten, dicht tegen haar aan. Ik houd haar hand vast en druk hem tegen mijn borst. Dat heeft ze ook wel eens bij mij gedaan toen ik vreselijk moest huilen.

Ze boent door haar ogen met haar vrije hand.

'Je weet toch wel,' praat ze verder, 'hoe een man en een vrouw samen vrijen, hoe dat gaat?'

Ik knikt en wacht tot ze verder praat.

'Je wordt verliefd, en je gaat zoenen. En op een dag wil je al je kleren uit en dicht tegen elkaar aanliggen. Dat gaat zo vanzelf, bij alle mensen. Je kiest iemand uit die je heel leuk vindt, en daar oefen je dan een beetje mee.'

Mijn moeder glimlacht een scheef lachje door haar tranen heen. Haar woorden komen hortend en stotend.

'Maar... je mag zelf iemand uitkiezen. Je moet het zelf willen... Gerard was mijn broer. Hij heeft me mijn hele leven gepest. En ik moest van hem met hem vrijen. En ik had hem niet uitgekozen... Ik had nog niemand uitgekozen. Ik was nog maar net zo oud als jij. Ik had nog niet eens met een leuke jongen gezoend!'

Mijn moeder kan bijna niet verder praten. Ik huil hard met haar mee, dat gaat vanzelf. Ik zeg telkens: 'O, mama, o mama!'

'Hij zei: "Ik breek je nek als je iets zegt tegen vader en moeder. Ik trap je in elkaar. Ik sleep je het bos in en dan laat ik al mijn vrienden van school komen en dan zeg ik: 'Oefen maar met haar, zij vindt het lekker.' Ik zal aan iedereen vertellen dat je een smerige slet bent! Vader en moeder geloven mij, want ik ben een jongen. En ze houden meer van mij dan van jou!"'

Mijn moeder duwt me van zich weg en staat op. Ze begint heen en weer te lopen.

'Ik wil al zo lang terug naar Frankrijk. Je vader begrijpt niets, niets, niets. NIETS! Maar ik durfde niet terug naar huis! Gerard bleef hier maar wonen. En Juliette kon me niet hebben, ze heeft maar een piepklein huisje. Ik kon nergens naartoe! IK KON NERGENS NAARTOE!'

Mijn moeder schreeuwt. Beneden gaat de deur van het huisje open. Grandmère verschijnt in de deuropening.

'Claudette?' roept ze vragend. Ze draait haar hoofd zoekend rond. We staan hierboven in het donker en kijken naar beneden.

'Nu gelooft ze me, nu gelooft ze me pas...' zegt mijn moeder. 'Ze zei: "Als je het niet meer uithoudt in Nederland, kom je maar naar huis. Gerard komt hier nooit meer, daar zorg ik voor."'

Ze roept iets naar beneden, ze probeert haar stem gewoon te laten klinken. Gerustgesteld verdwijnt Grandmère naar binnen.

'Ik heb Grandmère na opa's begrafenis verteld wat er is gebeurd. Gerard zegt natuurlijk dat er niks van waar is. Dat ik het heb verzonnen. Dat ik een leugenaar ben. Maar ze gelooft me nu en ze heeft hem weggestuurd. Grandmère zei: "Je bent mijn zoon niet meer. Een zoon van mij doet zulke dingen niet met zijn zusje. Ik wil je nooit meer zien." Hij komt hier nu niet meer, dat denk ik niet. Die durft hier niet meer te komen. Die laat zich hier niet meer zien.'

10

Leila en mijn moeder zijn met Grandmère mee meloenen plukken. Willem en ik passen op Jantje. Hij zit in het grind op het pad en stopt grindsteentjes in het lekke gietertje. Als het gietertje vol zit, giet hij de steentjes eruit. En dan begint hij weer opnieuw. Willem heeft in het gootsteenkastje twee vliegenmeppers gevonden. Ze zijn van plastic en maken een scherp zwiepend geluid. We sluipen door de kamer. De keukenvloer ligt al bezaaid met dode vliegen. We tellen hardop.

'Zevenenveertig!' schreeuwt Willem. En zwiep! doet zijn mepper. De dooie vlieg plakt aan het plastic tafelkleed. Willem schuift hem met zijn mepper op de vloer.

Ik sluip naar het aanrecht. Dat is het lievelingsplekje van de vliegen. Er zitten er weer een paar. Ik sla er twee dood in één klap. Willem juicht. Hij staat aan de andere kant van het aanrecht en mept, zorgvuldig mikkend.

'Weer een!' schreeuwt hij.

'Vijftig!' roep ik.

'Vijftig,' zegt Jantjes stemmetje me buiten na. Ik kijk even om het hoekje. Hij zit daar nog steeds in de zon met zijn grindsteentjes.

'Ga in de schaduw zitten, Jantje,' zeg ik. 'Anders krijg je pijn in je hoofdje.'

'Nee,' zegt Jantje. 'Wil niet.'

Willem komt naast me staan.

'Jantje mag niet in de schaduw zitten,' zegt hij.

'Wel!' zegt Jantje.

Hij kruipt een stukje verderop tot hij in de schaduw van het huis zit en kijkt ons triomfantelijk aan.

'O, o, dat mag niet, hoor,' zeg ik nu ook.

'Wel!' zegt Jantje nog een keer. Hij kijkt onverzettelijk, klaar voor de strijd.

'Nou, dan moet je het zelf weten,' zeggen wij.

Binnen lachen we naar elkaar.

'Zo, die blijft voorlopig nog wel even in de schaduw,' zegt Willem.

'Gaan we er nog meer meppen?' vraag ik.

Willem is op de bank gaan zitten.

'Zullen we tv kijken?' vraagt hij.

Ik druk de knop van het toestel in en ga naast hem zitten. Er is een tekenfilm op tv. We kijken een poosje. We kunnen er niets van verstaan.

'Laten we naar het riviertje gaan,' stel ik voor. 'Je kunt bij het bruggetje naar beneden. Laten we pootje baden, we nemen Jantje mee, goed?'

Willem springt op van de bank. 'Er staat een schepnetje in de schuur, ik ga het even halen!'

Hij drukt op de knop van de tv en rent naar buiten.

Snel veeg ik alle dooie vliegen bij elkaar op het blik. Ik gooi ze naar buiten door het keukenraam.

We zeggen tegen Jantje dat hij zijn zonnepetje niet op mag, dus hij zet het meteen op. We zeggen dat hij ons geen handje mag geven, dus hij houdt ons stevig vast. We lopen langs de huisjes beneden, langs het kruis.

De mensen beneden weten al wie we zijn. Ze roepen: '*Bonjour*' en lachen naar ons. Een vrouw aait Jantje over zijn wang. We krijgen alledrie een sappige tomaat. En zelfs Jantje zegt: '*Merci.*' Hij moet heel hard om zichzelf lachen en daar moeten de mensen uit het dorp dan weer om lachen. Ze vragen of we gaan vissen, ze wijzen op Willems schepnetje.

We knikken van ja en lopen verder.

Ze roepen ons grapjes achterna die we niet kunnen verstaan. Maar we begrijpen ze wel een beetje. Ze roepen zoiets als: Pas maar op voor hele grote vissen. Die bijten in je kont of ze bijten je kop eraf!

We horen ze nog lachen als we al bij het bruggetje zijn.

'Optillen, Silvie, optillen!' zegt Jantje angstig.

Hij kijkt naar beneden, langs het steile paadje. Ik neem hem op mijn arm, hij klemt zijn armpjes om mijn nek.

'Immem ook mee!' beveelt hij.

'Ik ga voorop,' zegt Willem. Hij huppelt het paadje af, het schepnetje danst boven zijn hoofd mee naar beneden.

Ik loop langzamer, voorzichtig. Met Jantje op mijn arm wil ik niet uitglijden. Beneden zet ik Jantje neer. We lopen een stukje stroomopwaarts tot we bij een brede open plek komen waar gras groeit en waar grote stenen liggen. Jantje begint meteen over de stenen te klauteren. Willem trapt zijn sandalen uit en waadt een stuk het water in.

'Zo! Er zitten hier veel visjes!' Zijn stem schalt over het water.

Ik zit op een grote steen en kijk oplettend naar links en naar rechts.

'Sssht! Niet zo hard!' sis ik.

Willem volgt mijn blik. Vanaf waar we zijn kunnen we het grootste stuk van het bruggetje zien.

'Ik weet waarvoor jij op de uitkijk zit,' zegt hij.

'Dat weet je niet!' zegt ik verschrikt.

'Wel, hoor. Voor papa in zijn zwarte BMW natuurlijk!' zegt hij.

Na een poosje gooit Willem zijn schepnetje aan de kant. 'Jij mag nu wel, Jantje,' zegt hij.

Jantje grijpt het schepnetje beet en zwaait ermee. Ik kan net op tijd wegduiken.

'Uitkijken, domoor!' zeg ik.

'Jij domoor!' zegt Jantje. Hij loopt een stukje het water in, met zijn sandaaltjes nog aan. Nou ja, die drogen wel weer.

Willem plonst door het water. Hij sjouwt een grote steen.

'Wat ga je doen?' vraag ik.

'Een dam bouwen,' zegt Willem. 'Dan krijgen we een waterval, net als in het stadje.'

Ik spring overeind en waad naar een paar grote stenen. We werken hard en zwijgend. Steen na steen stapelen we op elkaar, tot er een echte dam ontstaat. Het water perst zich in kleine stroompjes tussen de stenen door. Achter de dam ontstaat een poeltje. We trekken Jantje zijn korte broekje uit en zetten hem erin. Het water komt precies tot aan zijn luier.

'Koud!' zegt hij. 'Wil niet!'

Hij strekt zijn armpjes naar me uit. Ik til hem op en zet hem met zijn schepnetje terug aan de kant.

'We maken de dam zo hoog!' roept Willem. Zijn gezicht is rood van de zon en het harde werk. Hij houdt zijn hand op borsthoogte om mij te laten zien hoe hoog. 'En als die Duitsers dan komen in hun kano, dan zullen ze wel even opkijken!'

Achter ons horen we plotseling gespetter. Mijn moeder staat aan de waterkant, ze lacht.

'Wat een mooie dam, jongens!' roept ze.

Ze trekt haar schoenen uit en komt naar ons toe.

'Lekker koel,' zegt ze.

Zonneplekken dansen tussen de bladeren van de bomen door over haar gezicht.

'Laten we naar huis gaan,' zeg ik. 'Het is vast al etenstijd. Grandmère heeft misschien gekookt, we moeten niet te laat komen en ik moet plassen, heel erg nodig.'

'Plas maar in de bosjes,' zegt mijn moeder. 'Mag ik ook helpen met de dam?'

Ze pakt een steen op en draagt hem naar de berg. Haar jurk wordt nat. Maar ze lacht; ze heeft het warm.

'Kom nou,' zeur ik.

'Hé, Silvie, wat mankeert je? Het is hier heerlijk. Ga plassen en zeur niet!'

'Ga nou mee! Mama, ga nou mee!' Ik doe net alsof ik moet huilen. Nog lachend kijkt mijn moeder naar Willem.

'Wat is er met haar aan de hand?'

'Ze denkt dat papa eraan komt,' zegt Willem.

Mijn moeders lach verdwijnt.

'O...' zegt ze verbaasd. 'Denk je dat echt, Silvie?'

Ze luistert niet meer naar me. Ze pakt steen na steen en gooit ze op de hoop. Het poeltje wordt dieper, en haar jurk wordt natter. Jantje gaat ook helpen. Hij draagt kiezeltje na kiezeltje en gooit ze precies waar ze niet moeten.

'Hopla!' schreeuwt hij bij ieder steentje. Hij vindt het een prachtig spelletje.

Ik zit op mijn steen en houd de wacht.

'Kom op, Silvie! Kom ons helpen!' roept mijn moeder.

'Ik ben moe!' zeg ik.

'Oud vrouwtje!' roept ze plagend.

'Oud vouweje!' schreeuwt Jantje. En hij gooit een kiezelsteen naar me.

11

Leila zit op de wc. Ik sta in het halletje te trappelen en probeer door de kier van de deur te kijken.

'Donder op, Silvie,' zegt Leila gedempt.

'Schiet nou ó-óp,' smeek ik.

'Als je zeurt duurt het nog langer,' zegt ze.

Ik zwijg en trappel.

Boven hoor ik mijn moeders stem. Ze zegt iets tegen Willem. Ik breng mijn mond vlak voor de kier.

'Leila?' fluister ik. 'Heeft mama jou verteld over oom Gerard?'

'Dattie een vervelende klier was? Ja.'

Leila trekt door. Gorgelend kolkt het water in de toiletpot. Ze gooit de deur open en loopt langs me heen.

'Leila?'

'Nou, ga dan. Je moest toch zo nodig, tut!'

Ze springt met twee treden tegelijk het trapje op. Licht stroomt in een brede baan naar beneden tot het gordijn weer zwaar en recht naar beneden valt.

Er zijn twee buurvrouwen van beneden langsgekomen, en een oude schoolvriendin van mijn moeder die ons allevier wel eens wilde bekijken. Ze pakte ons bij onze kin en gaf ons een paar dikke zoenen; wij veegden verlegen onze wang af.

Leila is weer naar het stadje met haar brommervriendje en Willem en Jantje slapen boven. Ik lig op de stinkbank en ruik de stink-sigarettenrook en kan niet slapen. Het licht boven mijn hoofd is dan wel uit, maar het licht in de keuken is gewoon aan. Het is veel te licht om te slapen en de vrouwen om de tafel praten en lachen te hard. Ze zetten hun glazen met een klap op tafel en smijten met de deur van de koelkast.

Ik draai en draai op de bank. Ik ga zitten en weer liggen en weer zitten en schraap mijn keel. Ze zien me niet eens. Ik neem mijn kussen mee en ga naar boven. Bij het licht van de gang inspecteer ik de kamer. Het deurtje van de hooizolder is goed dicht. Er zit maar één spin, zo een die wel stil blijft zitten.

Ik zie dat Jantje bij Willem in bed is gekropen. Ik doe het licht uit en ga naast hem liggen.

Jantjes oogjes floepen open.

'Silvie,' zegt hij, heel zacht.

'Ga maar lekker slapen, ik kom bij jou liggen,' fluister ik.

Zijn oogjes zakken weer dicht. Het is stil in deze kamer en fijn donker. Ik hoor de vrouwenstemmen nog wel, maar heel gedempt. En ik hoor de krekels want het raam staat op een kier. Morgen ga ik aan mijn moeder vragen of ik hier altijd mag slapen. Dan moet ze wel iedere dag even kijken of er geen spinnen zitten. En dan gaat ze zelf maar op die stinkbank.

Ik ben het eerst wakker van allemaal. Dat was in Nederland ook altijd zo. Meestal ging ik daar liggen lezen, maar hier is niets te lezen.

Ik draai me om en probeer verder te slapen. Maar dat lukte thuis nooit, en hier lukt het ook niet. Een streep zonlicht schijnt op de muur. Ik zie de verschoten roze bloemetjes op het behang. En dan bedenk ik dat ik wel uit het raam kan springen. Het gras eronder is hoog. Dan ga ik lekker wandelen buiten tot het tijd is voor het ontbijt.

Dat is het nadeel van hierboven slapen. Beneden kon ik gewoon de deur openmaken en naar buiten lopen. Als ik nu naar beneden ga, wordt mijn moeder natuurlijk wakker. En dan zegt ze dat ik gek ben. En dat ik maar als de bliksem moet zorgen dat ik terugga naar mijn bed.

Voorzichtig rol ik een stukje weg van Jantje. Willem kan ik gewoon aanstoten, die wordt toch niet wakker. De vloer is koud onder mijn voeten. Mijn kleren liggen nog beneden, naast de bank. Gelukkig heeft Willem dezelfde schoenmaat als ik. Hij vindt het vast niet erg als ik zijn sandalen leen. En zijn trui mag ik ook wel even aan over mijn nachtpon.

Het raam piept. Jantje hoest. Heel voorzichtig trek ik het verder open. Het is nog nevelig buiten. Alle bloemen en grasaren glinsteren vol zilveren druppeltjes. Ik hurk in het raamkozijn, zet me af en suis naar beneden. Met gebogen knieën kom ik neer, zoals ik heb geleerd met gym.

Ik ren door het weitje naar beneden, naar de weg. Als ik omkijk, zie ik dat ik een donker spoor door het zilver heb getrokken en aan het eind van het spoor staat het huis. Tussen de open ramen boven bolt het gordijn even op in de wind.

Ik draai er mijn rug naartoe en ren verder, langs de weg naar de brug. De dam is er nog. Het water zoekt weggetjes erom- en eroverheen. Mijn moeder en Willem hebben er gisteren de hele middag aan doorgewerkt. Aan het eind kwam Leila ook helpen. Mijn moeder had pret als een klein meisje.

'We zullen af en toe op de uitkijk gaan staan,' zei ze. 'Kijken wat er gebeurt als er kanovaarders aankomen!'

Ze zwommen in het poeltje dat steeds dieper was geworden, en wachtten nog een tijdje bij de dam. Maar er kwamen geen kano's.

Onze kleren waren alweer bijna helemaal droog toen we weer omhoogliepen. Mijn moeder droeg Jantje op haar schouders. Willem zwaaide met zijn schepnetje. Leila rolde haar T-shirt op om haar buik bruin te laten worden.

'Dat staat stom,' zei ik tegen haar.

'Nee, dat staat cóól,' zei ze. Ze glimlachte de hele tijd.

'Ga jij vrijen met die brommerjongen?' vroeg ik.

'Hij heet Jean.'

'Nou goed, met Jean dan.'

'Misschien,' zei ze.

In gedachten ben ik stroomopwaarts onder het bruggetje door gelopen. Ik klim de weg op en begin bloemen te plukken in de berm. Al plukkend loop ik van bloem naar bloem. Ik denk aan gisteren, en aan Leila en Jean, en let niet op. Daarom schreeuw ik het uit van schrik als iemand me plotseling bij mijn schouder pakt. En ik laat de helft van mijn bloemen vallen en gil nog harder als ik zie dat het oom Gerard is.

Zijn hand is ruw tegen mijn mond en ruikt naar sigaretten. Ik kan geen adem meer krijgen en niet meer gillen; ik kreun zacht. Oom Gerard haalt zijn hand voor mijn mond weg maar blijft me vasthouden. Hij praat langzaam en nadrukkelijk. Ik versta hem.

Hij zegt: 'Ik ben het, oom Gerard. Schreeuw niet zo. Je bent toch zeker al een grote meid. Leila, is het niet? Je kent me toch nog wel?'

Hij denkt dat ik Leila ben.

Ik probeer me los te wringen. Ik praat met een smekend klein stemmetje.

'Oom Gerard,' zeg ik. 'Mama wacht op me en Grandmère, want ik moet de tafel dekken. Wil je me even loslaten, anders kom ik te laat, en dan zijn ze boos op me. Ze zijn me natuurlijk al aan het zoeken. Laat me maar los, goed? Dan ga ik naar huis, goed? Oom Gerard?'

Hij luistert verbaasd naar me. Maar mijn arm laat hij niet los. Hij knijpt zelfs nog harder. Hij verstaat natuurlijk alleen de woorden mama en Grandmère. Zijn gezicht staat geïrriteerd. Hij schudt me heen en weer en zegt weer iets in het Frans.

Ik kijk naar het blauwe bestelwagentje dat een eindje verderop bij een bospad naar boven geparkeerd staat. Ik kijk naar zijn afgetrapte bruine schoenen. Ik zie Willems sandalen aan mijn eigen vuile voeten, en mijn benen, bloot en roodverbrand van gisteren. Mijn nachtpon komt maar net tot over mijn onderbroekje. En hij kijkt naar me.

Leila is niet erg groot. Maar toch nog wel een stukje groter dan ik. Ik lijk op papa en mijn Nederlandse familie, ik ben groot en veel molliger dan Leila. Maar hij moet toch wel zien dat ik geen zestien ben. Ik lijk niet op een meisje van zestien. Dat vind ik niet.

Ik kijk oom Gerard in zijn gezicht.

Misschien is hij gewoon ook geschrokken van mij. Misschien is hij veranderd. Hij kan toch spijt hebben van vroeger? Dan kan toch? Maar waarom houdt hij me dan vast? Papa zou een meisje dat weg wilde lopen niet vasthouden. Hij zou haar laten gaan en zeggen: gek kind. Of: wat is er nou met die aan de hand? Maar hij zou haar niet vasthouden als ze weg wilde.

Ik laat de rest van mijn bloemen vallen en zeg: 'Ik wil naar mama, alsjeblieft, oom Gerard.'

Ik smeek: *'S'il vous plaît, oncle Gerard?'*

Hij laat me een beetje los. Ik ruk me uit zijn greep en ren.

'Leila!' schreeuwt hij. En nog meer.

Ik kan niet naar het dorpje want dan moet ik langs hem heen. Het stadje is te ver weg. Ik ren omhoog en probeer te bedenken waar ik uit zal komen. Maar ik jammer alleen maar en kan helemaal niet denken. Het riempje van Willems sandaal is losgegaan, hinkend trek ik de sandaal van mijn voet. Op één blote voet en één sandaal ren ik verder. Ik spring over bramentakken en wurm me door bosjes heen, en klim hoger en hoger.

Plotseling sta ik op een grasveldje vlak voor een metalen prullenbak aan een paal. Een vrachtauto dendert voorbij. Hijgend kijk ik om. Er komt niemand achter me aan. Beneden ligt het dorp, ik zie het kruis, het bruggetje.

Ik ben op de parkeerplaats van een paar dagen geleden.

Achteruit loop ik het gras op, weg van de bosjes. De

zon schijnt fel op mijn gezicht. Ik draai me om en zie de zwarte BMW.

Mijn vader tilt zijn hoofd op van het stuur en kijkt me bleek en slaperig aan, alsof hij niet zeker weet of ik het wel ben.

'Papa!' schreeuw ik.

Een brede lach komt op zijn gezicht. Hij morrelt aan het portier en opent het. Ik ren in zijn armen en huil en huil.

'Stil maar, meisje,' zegt hij. Hij klopt me op mijn rug. 'Wat dacht je nou? Dat ik jullie niet zou komen halen? Dat ik haar zomaar met jullie zou laten gaan? Stil maar, kindje. Maak je niet zo van streek... Is alles wel goed, met je moeder? Met Leila en de kleintjes?'

Hij duwt me van zich af en probeert me in mijn gezicht te kijken. Maar ik wil niet dat hij mijn gezicht ziet. Hij begrijpt er helemaal niets van, niets niets!

'Nou nou nou, toch,' zegt hij.

Hij klopt op mijn rug. Ik probeer bij hem op schoot te kruipen. Zacht weert hij me af.

'Wat heb je aan? Je nachtpon? Hoe laat is het?'

Hij kijkt om me heen op het klokje in het dashboard.

'Ik zou eerder zijn gekomen,' zegt hij. 'Maar ik was al op weg naar Londen voor de zaak.'

'Dat is niet waar!' zeg ik. 'Want Leila heeft je nog opgebeld! Ik hoorde je stem!'

Ik laat hem los en ga naast hem op de stoel zitten.

'Ik móést gaan,' zegt hij. 'Het ging om iets vreselijk belangrijks... Dat zouden jullie begrepen hebben als je ook eens naar mij had geluisterd. Dan zouden jullie weten waarom ik doe wat ik doe, in plaats van ervandoor te gaan en alles... alles!'

Hij maakt een gebaar van machteloosheid en slaat met zijn vuist op het stuur. Ik wijk van hem weg. Plotseling wil ik heel graag terug naar de kamer met de streep zon over het roze bloemetjesbehang. Terug in het bed bij Willem en Jantje, diep onder de deken, en luisteren naar de krekels.

'Je zit te rillen,' zegt mijn vader. Hij draait zich om en trekt de plaid van de achterbank. Hij stopt me in tot aan mijn kin.

'Waar ben je geweest?' vraagt hij. 'Je moeder zou op je moeten letten in plaats van je thuis te houden van school en mee te slepen naar een land waarvan je de taal niet kent.'

Ik draai mijn gezicht weg en kijk uit het raampje. Beneden ligt het dorpje. Onder het kruis staat een jongetje op blote voeten, zonder trui aan. Hij houdt zijn hand als het klepje van een pet tegen de zon boven zijn ogen en tuurt naar het bruggetje. Ik begin weer te huilen, zonder geluid.

Mijn vader start de motor en rijdt de weg op.

'Zodra ik weg kon, ben ik gaan rijden,' zegt hij. 'Ik ben door de tunnel gekomen. Maar ik kon moeilijk om half drie 's nachts voor de deur staan. Dus ik ben hier in de auto blijven slapen.'

We rijden het bruggetje over en het grindpad op. Grandmère komt een stap naar buiten, ziet ons en wijkt onmiddellijk terug naar binnen om mijn moeder te waarschuwen.

Leila komt naar de auto rennen en vliegt mijn vader om zijn nek, opgewonden schreeuwend. Ik sluip de auto uit, naar binnen, naar boven en terug onder de deken. Oom Gerard zal het voorlopig wel uit zijn hoofd laten om hier te komen, nu mijn vaders auto voor de deur staat.

Ik val half in slaap en merk na een poosje dat er iemand in de kamer is. Willem zit op het voeteneinde en trekt zijn sandalen aan.

'Willem?' vraag ik.

Hij gaat op zijn buik op het bed liggen tot zijn wang het kussen raakt, en staart in mijn gezicht.

'Zou jij wel eens iemand... een meisje... zoenen die niet wou dat je haar zoende?'

Willem denkt na. Hij blijft me aanstaren zonder met zijn ogen te knipperen.

'Nee,' zegt hij uiteindelijk. 'Want als ze mij niet willen zoenen, nou, dan vind ik het ook geen leuke meisjes.'

Hij lacht naar me, ik zie zijn grote voortanden.

'Papa is er,' zegt hij.

'Maken ze al ruzie?' vraag ik.

'Ja,' zegt Willem.

12

Willem heeft mijn kleren meegebracht. Ik trek ze aan en ga met hem mee naar beneden. Mijn vader en moeder zijn er niet meer. De BMW is weg. Leila ligt op de bank en kijkt tv, haar gezicht is vlekkerig rood. Ze heeft gehuild en kijkt de andere kant op als we langs haar heenlopen. Jantje zit weer op het grindpad met zijn gietertje. En Grandmère is nergens te zien.

'Jij mag niet in de schaduw zitten,' zegt Willem tegen Jantje.

'Wel,' zegt Jantje lusteloos. Hij blijft zitten waar hij zit en wij hebben geen zin om hem op te tillen en dichter bij het huis te zetten. We lopen langs hem heen naar de schommel.

Grandmère heeft gewassen. De meeste kleren aan de lijn zijn al droog. Ik haal ze eraf en vouw ze op en leg ze netjes in de wasmand. Willem zet de gekleurde knijpers op een rijtje. De schapen blaten. Er fladdert een gele vlinder over Willems hoofd. Heel even gaat hij op zijn haar zitten, dan fladdert hij verder. Willem is stil blijven zitten.

'Hij zat op je haar! Kon je hem voelen?' vraag ik.

Willem schudt zijn hoofd. We kijken de vlinder na. Ik ruik de geur van het wasgoed en de schapen en de kruiden die tussen het gras groeien. Er hangt een stuk schapenwol aan het prikkeldraad. Ik trek het eraf en wind het om mijn vinger.

Willem heeft twee legers gemaakt van de knijpers.

'Soldaten, in de aanval!' roept hij. En alle rode en oranje knijpers vallen in één veeg om. Hij moet er zelf om lachen. Neuriënd begint hij de knijpers weer overeind te zetten. Ik ga op de schommel zitten en zet af. Langzaam schommel ik heen en weer. Ik luister naar Willems geneurie. Naar een vliegtuig hoog boven me. Naar de bijen tussen de bloemen in het gras. En dan pas hoor ik een ander geluid. Jantje huilt.

Hij blèrt als een baby en zit daar maar met zijn beentjes wijd in het grind te wachten tot er iemand komt.

Ik spring van de schommel af en ren naar hem toe.

'Stil maar, hoor!' zeg ik. Ik til hem op en klem hem tegen me aan.

'Papa boos!' snikt hij.

Hij houdt me vast en snottert in mijn nek.

Binnen lijkt het donker na het zonlicht buiten. Ik kan niet zien dat Leila op de bank ligt te huilen, maar ik hoor haar wel. Boven, op het bed, trek ik Jantje een schone luier aan. In de keuken schenk ik limonade voor hem in. En dan krijg ik een idee.

'We gaan picknicken, Jan,' zeg ik. 'Ga Silvie maar helpen. Doe maar twee meloentjes in de boodschappentas.'

Jantje lacht blij. Behulpzaam dribbelt hij heen en weer met twee meloentjes tegen zijn borstje gedrukt. Tranen blinken nog op zijn bolle, roodverbrande wangetjes; ik veeg ze af en geef hem er een paar dikke zoenen op. Arme Jantje.

We steken een stokbrood in de tas en een fles aangemaakte limonade. Een paar appels en een half pakje biscuitjes en een mes voor de meloenen. Als ik Willem roep, komt hij aanrennen.

'We gaan picknicken bij de rivier,' zeg ik.

Willem heeft zijn hand en broekzakken nog vol knijpers.

'Ik leg ze straks wel terug,' zegt hij als ik ernaar kijk. 'Ik neem het schepnetje mee, goed?' En hij rent al naar de schuur.

Hij komt terug met het schepnetje en een oud gordijn.

'Een picknickkleed!' roept hij.

Ik neem Jantje op mijn arm.

'Leila!' schreeuw ik. 'We gaan naar de dam, ga je mee?'

Er komt geen antwoord, maar ik weet dat ze me gehoord heeft.

'Ik denk dat ze niet mee wil,' zegt Willem.

We lopen het pad af naar de weg. De mensen beneden kijken nieuwsgierig naar ons. Ze hebben me vanmorgen langs zien rijden in mijn vaders zwarte BMW, het pad op naar boven.

'Bonjour,' zeggen we. We lopen snel door zodat ze geen tijd hebben om vragen te stellen waar we toch geen antwoord op kunnen geven.

Willem staat op zijn tenen en zet met een knijper het oude gordijn vast aan een boomtakje.

'Wat doe je nou?' zeg ik. 'We moeten zitten op dat kleed.'

'Nee, ik maak een tent,' zegt Willem. 'Hou eens omhoog, dan knijp ik het vast.'

Jantje kruipt onder het kleed.

'Is Jantje dan?' vraagt hij. 'Kiekeboe!'

'Even wachten, Jantje,' zegt Willem.

Het kleed schiet los. We trekken het weer omhoog. We gebruiken alle knijpers die Willem bij zich heeft. Het gordijn deint langzaam op en neer maar blijft nu goed vastzitten. Jantje vindt het prachtig. Hij gaat er meteen weer onder zitten om te eten en trekt de biscuitjes tevoorschijn.

'We maken een tafel en stoelen,' zegt Willem.

Hij begint aan een grote steen te sjorren. Samen rollen we de steen onder het kleed.

'Dit was de tafel,' zegt Willem.

We rollen kleinere stenen eromheen en gaan erop zitten.

'Ik was de vader en jij was de moeder,' zegt Willem.

'Nee,' zeg ik. 'Ik was de grote zus en jij de grote broer en we wilden niet meer thuis wonen. Dus we maakten ons eigen huis in het bos.'

Willem kijkt me even stil aan. 'Goed,' zegt hij dan.

'Okee!' roept Jantje. 'Ete!'

Willem snijdt de meloen. Het sap trekt donkere strepen naar beneden langs de grijze tafelsteen. Intussen hang ik het schepnetje en de boodschappentas aan een tak onder het gordijn.

'Dit was de kast,' zeg ik.

'We gingen in bad in de rivier en ik moest vis vangen om te eten,' zegt Willem.

'We zochten bessen en bramen,' zeg ik.

'We bakten de vis op ons vuur,' zegt Willem. Hij kijkt me aarzelend aan. 'We kunnen een vuurtje maken in het zand vlak langs het water,' zegt hij een beetje smekend. 'Dan komt er geen bosbrand.'

'We pasten goed op,' zeg ik.
'Maar we hebben geen lucifers,' zegt Willem.
'We zochten vuurstenen,' zeg ik.

We hebben takken opgestapeld in een kuil in het zand en stenen gezocht die misschien wel vuurstenen zijn. Als ons kleine broertje slaapt, gaan we die uitproberen. Omdat we geen extra luiers hebben voor ons kleine broertje, laten we hem maar in zijn blote billen rondrennen. Hij moet toch een keertje zindelijk worden. Telkens plast hij een paar druppeltjes in de rivier. En dan klappen we voor hem. We zeggen dat hij een grote jongen is.

We werken verder aan de dam.

'We waren veilig, want er kon niemand meer door,' zegt Willem. 'En over het pad kon niemand komen want daar hadden we een vuur!'

Ik zoek droge blaadjes onder de bomen verderop en strooi ze onder het gordijn zodat we zacht kunnen liggen als we moeten slapen. Willem werkt verder in het water aan de dam. Zo nu en dan gaan we aan onze tafel zitten en eten en drinken we wat. Jantje moet eigenlijk zijn dutje doen maar hij wil niet gaan liggen op de blaadjes. Daarom spreiden Willem en ik onze T-shirts erop uit. Nu wil Jantje wel gaan liggen. Ik doe hem zijn halfnatte luier weer om want ik wil niet dat hij in zijn slaap op onze T-shirts plast. Ik moet hem een verhaaltje vertellen en een liedje voor hem zingen.

Willem zegt met een zware bromstem dat hij vis gaat vangen voor het avondeten.

Even trekt een wolk voor de zon. Koele wind strijkt

onder de bomen langs ons gezicht. Jantje komt de hele tijd overeind, dus ik ga maar naast hem liggen en houd hem vast en luister naar het gekabbel van de rivier. Nu en dan hoor ik Willem door het water plonzen en iets mompelen.

Eindelijk valt Jantje in slaap. En ikzelf ook bijna.

Maar dan komen mijn vader en Leila eraan. Leila's ogen zijn nog rood, maar ze lacht weer. Mijn vader heeft zijn arm om haar heen geslagen.

'Zo, ik kom eens even naar jullie mooie dam kijken,' zegt hij.

Ze lachen om ons huis en om Jantje die daar ligt te slapen. Mijn vader kijkt naar Willems mooie vuurplaatsje.

'Jullie gaan toch zeker geen echt vuurtje maken?' vraagt hij.

'Nee, natuurlijk niet,' zeggen we allebei tegelijk. 'We spelen alleen maar.'

Leila drinkt van onze limonade zonder het te vragen. Ze eet ook de laatste biscuitjes op.

'Mooi plekje hier, hè pap?' zegt ze.

Mijn vader gaat op de tafelsteen zitten en kijkt over het water.

'Al wat gevangen, Willem?' vraagt hij.

Willem schudt zijn hoofd.

'Een paar kleintjes,' zegt hij. 'Maar die waren te klein...'

Hij houdt plotseling zijn mond; '...om te bakken,' wilde hij natuurlijk zeggen.

Hij kijkt even snel naar mij en dan weer in het water.

'Laat mij es,' zegt mijn vader.

Hij trekt zijn sokken en schoenen uit en stroopt zijn broekspijpen op. Hij trekt Willem het schepnetje uit zijn handen en plonst het water in. Het riviertje is dieper dan hij dacht; zijn broek wordt nat. Het is zijn goeie broek van zijn pak van werk. Hij aarzelt even en kijkt om zich heen. Dan trekt hij zijn broek uit. Hij vouwt hem netjes op en legt hem op zijn schoenen.

Mijn vader heeft een gestreepte onderbroek aan en nog steeds zijn overhemd. Hij ziet er gek uit met zijn spierwitte benen. Leila en ik lachen hem uit. Hij trekt een gezicht naar ons en balt zogenaamd boos zijn vuist. Daarna gaat hij samen met Willem vissen. Ze plonzen steeds verderop door het water en schenken geen aandacht meer aan ons.

Leila en ik kijken hen na. Een poos lang zeggen we niets.

Dan zegt Leila, heel zacht en vlak: 'Ik ga met papa terug naar Nederland. Ik wil terug naar mijn klas en mijn school en mijn eigen kamer. Ik moet volgend jaar examen doen.'

'En mama dan?' zeg ik.

'Over twee weken is het schoolfeest, we hebben afgesproken om met zijn allen te gaan en om te... nou ja, dat hoef jij niet te weten. En we gaan na de zomervakantie op schoolkamp, naar Parijs of naar Londen of Berlijn; we mogen kiezen... o, ze hebben nu al gekozen natuurlijk...'

Leila buigt haar hoofd en pulkt met een takje tussen de blaadjes.

'En Jean?' zeg ik.

Ze geeft geen antwoord.

‘Leila?’ Mijn stem bibbert.
Eindelijk kijkt ze me aan.
‘En wij dan?’ zeg ik.

13

Oom Gerard heeft ons gevonden. Plotseling staat hij aan de rand van het water.

'Leila?' zegt hij.

Hij kijkt eerst naar mij en dan naar Leila. Ik zie aan zijn gezicht dat hij nu begrijpt dat ik Leila niet ben. We vliegen overeind.

'Oncle Gerard,' stamelt Leila.

Oom Gerard begint tegen haar te praten, snel en opgewonden. Ik versta er niets van. Ik heb Leila's hand vastgegrepen en knijp er hard in. Zo nu en dan geeft ze even antwoord.

'Non, non' en *'Oui,'* zegt ze. En: *'Je ne sais pas.'* Dat betekent: Ik weet het niet.

Ik kijk over de rivier waar mijn vader en Willem langs een flauw bochtje zijn verdwenen.

'Papa!' schreeuw ik. 'Pa-pa!'

Leila en oom Gerard vallen stil en draaien met een ruk hun gezicht naar me toe. Oom Gerard rent niet weg. Hij laat me schreeuwen. Mijn stem schalt over het water. Achter me hoor ik Jantje huilen, hij is wakker geschrokken.

Spetterend verschijnen Willem en mijn vader weer om het bochtje. Mijn vader houdt lachend het schepnetje omhoog. Er spartelt een zilveren vis in. De lach besterft op zijn gezicht als hij oom Gerard ziet. Struikelend plonst hij haastig naar ons toe. Willem komt achter hem aan, wit en geschrokken. Mijn vader smijt het schepnetje met de vis erin op het zand. Hij gaat naast Leila en mij staan.

'Gerard,' hijgt hij.

Oom Gerard steekt zijn hand uit.

'Mattijs,' zegt hij, met een rare Franse klank.

Mijn vader doet alsof hij de uitgestoken hand niet ziet.

'Hij vraagt waarom wij leugens over hem vertellen, waarom mama leugens over hem vertelt,' zegt Leila schel. 'Ik zei: "Ik weet het niet, ik weet nergens van." Pap, hij zegt dat mama altijd jaloers op hem is geweest en dat ze daarom leugens over hem vertelt. Waarom zegt hij dat?'

Nu begint oom Gerard tegen mijn vader te praten. Ongemakkelijk luistert die. Ik zie hem vanuit zijn ooghoeken naar zijn broek en zijn schoenen kijken.

'Silvie, haal mijn kleren,' zegt hij door het praten van oom Gerard heen. Intussen schudt en knikt hij met zijn hoofd, ja en nee, om oom Gerard te kalmeren die steeds harder en bozer gaat praten.

Ik ren naar zijn broek en zijn schoenen. Mijn vader pakt ze aan. Hij probeert zijn natte blote voet door zijn broekspijp te wringen en toch oom Gerard aan te kijken.

En dan komt mijn moeder over het paadje aanhollen. Ze moet oom Gerards stem al vanuit de verte hebben gehoord. Ze begint meteen tegen hem te schreeuwen. Oom Gerard houdt zijn handen op met de palmen naar voren, alsof hij zeggen wil: Ik ben onschuldig en jij bent gek. Hij kijkt naar mijn vader en zegt iets tegen hem.

‘Hij noemt me een leugenaar, Mattijs! Een leugenaar! Sla hem nou verdomme eens op zijn bek!’ schreeuwt mijn moeder. ‘Kom nou eens één keer in je leven voor me op!’

Mijn vader hinkt met zijn tweede voet in zijn andere broekspijp.

‘God, mens, en ga jij nou eens één keer in je leven niet zo hysterisch tekeer,’ snauwt hij.

Oom Gerard stapt naar voren en pakt mijn moeder vast aan haar bovenarmen. Woedend praat hij tegen haar. Mijn moeder trekt bleek weg.

Ineens is Willem daar, met het schepnet.

Met een enorme zwaai slaat hij de modderige vis tegen oom Gerards gezicht. Oom Gerard laat mijn moeder los en knippert met zijn ogen. Zijn handen vliegen omhoog om een tweede slag af te weren. Hij vloekt en wankelt een pas opzij. Blindelings geeft hij Willem een duw. Willem struikelt over onze stenen stoeltjes en valt.

Mijn moeder vliegt oom Gerard schreeuwend aan en slaat haar handen om zijn keel. Hij sleurt haar mee in zijn val in het water, zodat ze boven op hem terechtkomt. Ze worstelen grauwend, plonzend en happend naar adem. Telkens weer duwt mijn moeder oom Gerard met zijn gezicht onder water. In haar hand heeft ze een steen waarmee ze hem tegen zijn hoofd slaat. Oom Gerard trapt met zijn benen. Zijn handen graaien naar houvast en klauwen zich vast aan mijn moeders jurk.

‘Hou op!’ schreeuwt mijn vader, in het Nederlands en in het Frans.

Leila springt in het water. Ze probeert de steen van mijn moeder af te pakken.

'Niet doen, mama!' schreeuwt ze. *'Non,* mama, *non!'*

Half door tranen verblind kijk ik hulpzoekend in het rond. In het diepe poeltje achter de dam drijft iets op het water. Het is wit.

Er gebeurt iets vreemds met me.

Alles om me heen staat plotseling volkomen stil.

Een stem in mijn hoofd roept: 'Silvie!'

En ik ren naar het witte ding alsof ik vliegen kan en ik weet dat het Jantjes luier is en dat mijn broertje daar stil drijft met zijn gezichtje naar beneden.

En ik weet dat hij niet mag verdrinken, want dat wil die stem die me heeft geroepen niet.

Ik grijp mijn broertje en schudt hem heen en weer en sla hem op zijn rug. Hij spuugt water en overgeefsel over me heen. Zijn gezichtje ziet blauwig. En dan pas gaat alles verder waar het was gebleven.

Mijn moeder, op haar knieën in het water, laat de steen zakken en kijkt naar Jantje en mij.

'O God,' zegt ze.

Tranen stromen over haar verwrongen gezicht.

Mijn vader rent naar me toe en wil Jantje van me overnemen maar ik klem hem tegen me aan.

'Silvie,' zegt mijn vader. Hij legt zijn hand tegen mijn wang.

Walgend draai ik mijn gezicht weg.

'Jij gelooft mama niet, hè,' zeg ik.

Mijn vader sleept oom Gerard omhoog naar de weg. Willem en Leila zijn naar het dorp gerend om hulp te halen. Mijn moeder drukt Jantje tegen haar natte jurk en ik houd mijn armen dicht om haar heen geslagen.

‘Stil maar,’ zegt mijn moeder tegen Jantje.
‘Stil maar,’ zeg ik tegen mijn moeder.
Ze trilt vreselijk.
‘Ik geloof je, mama,’ zeg ik.

De mensen uit het dorp komen aanrennen zo snel ze kunnen. Ze schreeuwen naar elkaar en tillen oom Gerard op onder zijn oksels en aan zijn benen. Bloed drupt uit zijn haar op het asfalt van de weg. Hij beweegt niet.

Mijn vader en Leila gaan met hen mee. Mijn moeder blijft achter bij Jantje, Willem en mij. Grandmère komt jammerend en mompelend het paadje af lopen en neemt Jantje uit mijn moeders armen. Ze slaat haar andere arm om Willem heen en trekt hem mee.

‘Blijven jullie nog maar liever even hier,’ zegt ze tegen mij en mijn moeder.

Met de twee jongens loopt ze naar boven. Willem laat zich meetrekken, half achterstevoren.

‘Ga maar met Jantje mee,’ zeg ik tegen hem. ‘Wij moeten nog even hier blijven van Grandmère.’

Als ze weg zijn, sjor ik aan mijn moeder zodat ze gaat zitten op de tafelsteen. Met een ruk trek ik het gordijn los van de takken en sla het om haar heen. Twee gele kano’s komen aanglijden in de zon over het schitterende water. Ze varen tot aan de dam en remmen met een halve draai. Het zijn de Duitse man en vrouw. Ze praten met elkaar en kijken naar ons. De vrouw wenkt.

Ik laat mijn moeder zitten en waad naar haar toe.

‘Habt Ihr diesen schönen Damm gemacht?’ vraagt de vrouw. Ze wijst naar de dam.

Ik knik.

'Es gibt hier viele Kanus,' zegt de vrouw. *'Können wir einen kleinen Durchgang machen?'*

Ik grijp de bovenste stenen en smijt ze in het poeltje. De vrouw schrikt van mijn reactie. De man stapt uit om me te helpen; hij glimlacht naar me om te laten zien dat hij het goed meent. Verontschuldigend kijkt hij naar mijn moeder, maar die staart naar de grond.

Ze zien het gordijn om haar heen en de plas water aan haar voeten. Ze kijken oplettender rond en zien bloed op een steen. De vrouw doet haar mond open en wil iets zeggen.

De doorgang lijkt groot genoeg. Ik geef haar kano een harde zet, hij glijdt door de dam naar beneden en schiet vooruit in de stroom.

Haastig springt de man terug in zijn eigen kano.

'Danke!' roept hij. En: *'Wiedersehen!'* Hij steekt zijn hand op en gaat de vrouw achterna.

Het water stroomt weer en het diepe poeltje waarin een klein jongetje wel kon verdrinken, loopt leeg. Nu de grote stenen zijn weggehaald, rollen de kleine steentjes mee in de stroom van het water. Langzaam verbrokkelt de dam.

Ik waad terug naar de kant.

Er ligt iets in het omgewoelde zand. Even herken ik het niet omdat de stok is gebroken. Maar dan zie ik dat het Willems schepnetje is. De vis zit er nog in.

14

Mijn vader belt naar de zaak en laat geld overmaken. Binnen een paar dagen heeft hij alles geregeld. Een zakenman die hij kent koopt een café in een grote stad, tweehonderd kilometer bij Grandmère's huis vandaan. Mijn vader gaat naar oom Gerard die ergens beneden in het dorp in een van de huisjes in een bed ligt.

'Als je ooit weer je gezicht laat zien in het stadje of het dorp,' zegt hij tegen hem, 'dan ben je je café kwijt.'

Grandmère zit in de schuur op haar zwarte kratten en huilt in haar schort als oom Gerard met zijn witte verbanden om zijn hoofd in een taxi naar die stad verdwijnt.

Mijn vader zegt dat je met geld bergen kunt verzetten.

Mijn moeder zit tegenover hem aan de keukentafel en knikt en zwijgt.

'Ik laat jullie spullen overbrengen, zo snel mogelijk,' zegt mijn vader. 'Het zal jullie aan niets ontbreken. Ik laat hier de schuur verbouwen. Als je meer geld nodig hebt, bel je naar de zaak.'

Hij heeft zijn stropdas weer omgedaan en zit in zijn zwarte BMW en belt met zijn secretaresses.

Ik ga naast hem zitten en vraag waarom hij mijn moeder niet gelooft.

'Geloven... geloven...' zegt hij. 'Hoe weet ik wat ik moet geloven? Was ik er soms bij?'

’s Nachts slaapt mijn vader in het hotel in het kleine stadje aan de rivier. Hij neemt ons een paar keer mee om er met hem te eten, Willem, Leila en mij. Er is een eetzaaltje met gebloemd behang, waar je kaasomeletten met friet kunt eten, en grote ijsjes toe krijgt.

Drie dagen na oom Gerards vertrek rijdt er een stoffige vrachtwagen uit Nederland het grindpad op. Er komen twee mannen uit die dorstig van Grandmère’s limonade drinken voor ze beginnen met uitladen. Al onze spullen zitten in kartonnen dozen waarop de naam van mijn vaders zaak staat gedrukt. Iemand heeft zorgvuldig ingepakt en bijna niets vergeten. Ons speelgoed komt tevoorschijn en onze kleren. Mijn moeders oorbellen en kettinkjes, keurig in een dichtgeknoopt plastic zakje.

We maken de dozen open, trekken spullen tevoorschijn en stoppen ze terug omdat we ze toch nog nergens kunnen laten. Mijn moeder blijft binnen in het donker aan de keukentafel zitten en komt niet kijken.

‘Wie heeft onze spullen ingepakt?’ vraag ik aan mijn vader.

‘Margot,’ zegt hij.

Margot is zijn belangrijkste secretaresse. De weinige keren dat ik op de zaak ben geweest mocht ik aan haar bureau zitten tekenen met haar schrijfstiften.

‘Hoe kon Margot ons huis binnen?’ vraag ik.

‘Ik bewaar een extra huissleutel in de la van mijn bureau,’ zegt mijn vader. ‘Ik heb haar verteld waar ze die kon vinden.’

Hij kijkt ook in alle dozen, controlerend.

‘Margot heeft haar best gedaan,’ zegt hij tegen me.

Hij glimlacht. Ik glimlach niet terug.

Vanaf de schommel kijk ik toe hoe de mannen de dozen in de schuur opstapelen. Terwijl ze nog bezig zijn rijdt er een tweede vrachtwagen, ditmaal kleiner en vuiler, het pad op. Er komen drie mannen uit, Fransen. Ze schudden mijn vaders hand. Hun overalls zijn witbestoven met cement. Peinzend en knikkend bekijken ze de schuur terwijl mijn vader praat en gebaart.

Grandmère komt naar buiten met nog meer limonade. Jantje komt achter haar aan. Hij kijkt rond, ziet mij op de schommel en klimt naar boven. Ik trek hem op mijn schoot met zijn gezicht tegen mijn buik en schommel langzaam heen en weer terwijl ik hem kusjes op zijn haartjes geef.

'Gaat papa weg?' vraagt Jantje.

'Ja, papa gaat weg,' zeg ik.

'Papa werk toe?'

'Ja, papa werk toe,' zeg ik.

Mijn vader betaalt de aannemer een grote som geld vooruit voor het verbouwen van de schuur. Grandmère zegt dat hij getikt is en windt zich op. Mijn vader negeert haar.

Leila is bijna hele dagen weg met Jean, de jongen van de brommer. Ze komt meestal pas 's avonds terug. De ganzen verraden haar altijd, ook al sluipt ze. Soms kruipt ze tegen me aan in bed en fluisteren we nog. Iedere avond vraag ik of ze bij ons in Frankrijk wil blijven. En iedere avond zegt ze dat ze met mijn vader terug naar Nederland gaat. Ze vertelt er niet veel over, maar ik weet dat ze vrijt met Jean. Dat ze oefent, zoals mijn moeder heeft verteld. Als Jean haar 's avonds thuisbrengt, houdt hij haar vast en kust hij haar nog minutenlang, tot ze hem wegduwt en naar boven rent. Mijn vader ergert zich gruwelijk, maar hij durft er niets meer van te zeggen. Leila heeft zakendoen van hem geleerd.

'Als je gaat zeuren, blijf ik hier in Frankrijk,' zei ze.

Mijn vaders mond viel open. Hij maakte een machteloos gebaar van woede en liep weg.

Iedere nacht slaapt mijn moeder op de bank beneden, opgerold als een poesje. We moeten haar 's morgens schudden om haar wakker te krijgen. Telkens vallen haar ogen weer dicht. Overdag gaat ze ook vaak op de bank onder de deken liggen, met haar gezicht naar de rugleuning, en valt ze in slaap. Als ze wakker is, zit ze aan de keukentafel met haar hoofd in haar handen. Ze zingt niet voor Jantje en praat bijna niet tegen Leila, Willem en mij.

Twee dagen nadat de aannemer is geweest en onze spullen zijn gebracht, vertrekt mijn vader. Hij kust ons en drukt ons tegen zich aan en zegt dat hij ons gauw een keertje komt halen.

Leila's spullen liggen achter in de zwarte BMW. Haar ogen gaan schuil achter de nieuwe zonnebril, die Jean op haar neus zette voor hij het pad afreed naar beneden om daar te wachten en zijn lippen kapot te bijten. Als wij afscheid van haar hebben genomen, komt mijn moeder naar buiten, knipperend tegen de zon. Ze trekt haar tegen zich aan en neemt de zonnebril van haar neus. Ze kussen elkaar. Zacht fluistert mijn moeder in het Frans, met haar lippen tegen Leila's wang.

Als mijn vader een stap naar haar toe doet om afscheid van haar te nemen, draait ze zich om en gaat terug naar binnen.

We kijken de zwarte BMW en de brommer na als ze langs het kruis naar het bruggetje rijden.

Jantje zit op mijn arm en roept: 'Dag papa!'

Tegen Willem en mij zegt hij: 'Papa werk toe.'

De buurman leert Willem grasmaaien met de zeis van opa. Bedachtzaam maait hij, met de zeis veilig weg van zijn benen.

Mijn moeders vriendin van vroeger komt en neemt mijn moeder mee uit wandelen.

Jantje plast op de wc. Hij wil geen luier meer om.

Ik moet met Grandmère mee meloenen plukken. Mijn nek verbrand vreselijk en 's morgens ligt ons bed vol kleine velletjes.

Op een zaterdag neemt mijn moeder Willem en mij mee naar het stadje. Ze gaat het postkantoor in en zegt dat we even op haar moeten wachten. Een poosje kijken we bij het watervalletje. Er gaan drie kano's overheen. Ze kiepen niet om. We lopen terug en gaan zitten op de stoeprand. Jean staat naast zijn brommer bij het hekje langs de rivier. Hij rookt een sigaret en trapt de peuk uit op de steentjes. Zijn schouders hangen, hij kijkt niet op of om. Wij willen wel zwaaien maar hij ziet ons niet. Mijn moeder ziet hem ook staan als ze het postkantoor uit komt. Ze kijkt naar hem en naar ons en blijft even stilstaan.

'Kom, jongens,' zegt ze dan.

We lopen achter haar aan het winkelstraatje in. Ze

neemt ons mee een boetiekje in en praat met de verkoopster. Die neemt ons mee naar achteren, waar kinderkleren hangen.

Ik krijg twee zomerjurken en nieuwe witte sandalen. Willem krijgt twee korte broeken, twee bloezen en een nieuwe riem. We zijn blij met onze spullen en omdat mijn moeder weer kan lachen. Ik mag een van de nieuwe jurken aanhouden, en Willem een nieuwe korte broek en bloes. Trots lopen we terug naar buiten.

We gaan op het terrasje zitten waar we, toen we hier pas waren, een ijsje uitzochten. De man kent ons nog. Hij lacht naar ons en naar mijn moeder.

'Willen jullie cola of ijs?' vraagt mijn moeder.

'IJs,' zeggen we allebei tegelijk.

Ze bestelt koffie voor zichzelf en zegt dat we maar moeten aanwijzen wat we willen. We nemen andere ijsjes dan die we toen hadden uitgezocht. Want nu lijken die andere ijsjes weer lekkerder. Likkend gaan we bij mijn moeder in de zon zitten.

We kijken naar de verkopers achter de marktkraampjes en naar de mensen die voorbijlopen. Mijn moeder kijkt naar ons.

'Zo,' zegt ze. Haar stem klinkt plagerig. 'Dus jullie worden een Frans jongetje en een Frans meisje...'

Willem en ik houden even op met likken. We grijnzen een beetje naar elkaar.

'*Oui*, mama,' zeg ik.

En mijn moeder lacht alweer.

We wandelen door de smalle straatjes en door het parkje. Bij een gebouwtje met roodgeverfde raamlijsten blijft mijn moeder stilstaan. Willem en ik kijken door de ramen. Het is een schooltje. Binnen klinken kinderstemmen. Een juffrouw praat en loopt heen en weer voor het schoolbord. Er staan grote, hoge geraniums in het raamkozijn. Een meisje met een lange bruine paardenstaart kijkt naar buiten, naar ons, en dan weer voor zich.

Mijn moeder duwt ons voor zich uit naar de deur.

In een donker, koel kantoortje komen we tegenover het hoofd van de school te zitten; een slanke jonge vrouw met helderrode lippenstift op. Ze schrijft onze namen op twee formulieren en kijkt zo nu en dan even glimlachend naar Willem en mij. Mijn moeder beantwoordt haar vragen tot de formulieren helemaal zijn ingevuld. Wij kijken rond. Er hangt een poster over tandverzorging en iets over kinderen in het verkeer. Op een prikbord zijn allerlei notities met gekleurde punaises vastgeprikt.

Het hoofd geeft ons een koel handje als we weggaan. En Willem een kneepje in zijn wang.

'*Au revoir,*' zegt ze.

Van buitenaf kijk ik nog eens het klasje binnen voor ik mijn moeder achternaloop. Bij de hoek blijven we staan. Mijn moeder draait zich naar ons om.

'Ik zal Frans met jullie oefenen,' zegt ze. 'Jullie gaan pas na de grote vakantie naar school. En jullie zijn heel slim, dat weet ik natuurlijk allang. Ik ga jullie leren tellen en rekenen in het Frans. En woordjes met jullie oefenen en liedjes en alles wat je weten moet. Maak je maar niet ongerust. Ik zal jullie eens wat vertellen: toen ik klein was, zat ik ook op deze school.'

Ze pakt Willems hand en steekt haar andere hand naar mij uit. Ik pak hem vast. Zo lopen we, allebei aan een kant van haar, terug naar het winkelstraatje.

15

De aannemer komt iedere dag en werkt stug door aan het verbouwen van de stal.

'Dat mag ook wel voor dat geld,' kijft Grandmère.

Ze houdt hem nauwlettend in de gaten en wil rekeningen zien van iedere steen en iedere zak cement. De aannemer moppert en laat schouderophalend bonnetjes zien. Hij drinkt Grandmère's limonade en als ze er niet is laat hij Jantje op zijn rug paardjerijden.

Mijn moeder vindt een baan voor vier dagen in de week in het toeristenkantoor van het stadje. Haar gezicht straalt als ze het ons vertelt.

Ze oefent Frans met ons wanneer het maar kan. Ze laat ons boodschappen doen en alles opnoemen wat we zien als we wandelen. Ze vertelt ons wat links en rechts is, en wat rechtdoor is. Wat een weg is en een brug en een kruis met Jezus eraan. Wat een buurvrouw is en hoe de vogels heten. Hoe je ganzen noemt en welke bloemen er langs de weg staan. Zelfs als ik op de wc zit, roept ze in het Frans sommen door de deur.

Willem en ik worden gek van haar. We verstoppen ons in het bos en laten haar roepen tot het tijd is voor het avondeten.

Op een dag komt er een dikke envelop van Leila. In de envelop zit weer een kleinere dikke envelop. *Jean* staat er in haar handschrift op.

Ik vraag aan mijn moeder of ik hem aan Jean mag geven. Ze knikt dat het goed is, terwijl haar ogen langs de regels van Leila's brief schieten. Als ze hem uit heeft, geeft ze hem aan Willem en mij.

We lezen dat het goed gaat met Leila. Dat ze terug is op school en ons vreselijk mist. Ze vraagt of Jantje al zindelijk is en of de aannemer klaar is met de schuur. Ze schrijft dat ze na de vakantie vier dagen naar Londen gaat met haar klas. En dat ze nu op tennisles zit en een scooter heeft gekregen van mijn vader.

Ik doe de brief terug in de envelop en leg hem op de fotoalbums op de plank. Mijn moeder en Willem gaan naar buiten met Jantje. Ik blijf achter met Grandmère.

Nu ik geen steentjes meer in haar schortzak stop, is Grandmère een stuk aardiger tegen me. Ze vraagt me of ik zin heb om foto's te kijken. Ik ga naast haar op de bank zitten en sla het oudste fotoalbum open.

Er staan foto's in van Leila als baby, en later ook van mij. Van mijn moeder toen die nog geen grijze haren had. En één van mijn vader met zijn arm om mijn moeders schouders. Grandmère en ik kijken zwijgend.

Als we alle foto's hebben bekeken, blijft Grandmère naast me zitten.

Ik bedenk plotseling dat ik nog iets anders heb om haar te laten zien en spring op.

'Wacht even,' zeg ik.

Ik zoek Willems sporttas en voel in het zijvakje.

Grandmère zit er nog als ik terugkom met mijn kralen en mijn borduurwerk. Ze lacht en zegt dat het knap is dat ik kan borduren. En ik zeg dat ik het kussentje aan haar ga geven als het af is.

Mijn moeder zegt dat ik morgen met haar mee kan rijden naar het stadje om de brief aan Jean te geven als ik hem daar zie.

Maar dat is niet nodig. Als ik 's avonds het pad af loop, een stukje het bos in, ligt hij daar roerloos op zijn buik met zijn gezicht in het gras gedrukt. Zijn brommer staat onder een boom. Zijn jack hangt over het zadel, zijn helm is een stukje weggerold.

Ik weet niet wat ik moet zeggen. Ik ga naast hem zitten in het gras en durf hem niet aan te raken.

Pas na een hele tijd kijkt hij op. Ik kan zien dat hij gehuild heeft, ook al kijkt hij nu gewoon. Mijn moeder heeft me het Franse woord voor brief al geleerd. Ik zeg tegen hem dat er een brief voor hem is, van Leila. Hij laat zijn brommer en spullen achter en sjokt achter me aan.

Mijn moeder en Grandmère zitten voor het huis en drinken koffie. De ganzen gakken zacht als Jean en ik eraan komen, zodat ze opkijken. Mijn moeder staat op en loopt naar binnen. Als ze terugkomt met de brief, komt Willem achter haar aan naar buiten. Jean pakt de brief van haar aan en blijft aarzelend staan.

'Wil je koffie?' vraagt mijn moeder.

Hij schudt zijn hoofd. Met een ruk draait hij zich om en rent het grindpad af naar beneden. We horen zijn brommer starten en wegrijden.

Grandmère buigt zich over de wasmand die naast haar staat en begint de was met haar handen op haar knieën glad te strijken en op te vouwen. Ze moppert tegen mijn moeder dat die kwajongens eerst steentjes in haar schortzak deden en nu haar beste knijpers weer hebben kwijtgemaakt.

Willem en ik kunnen haar verstaan. We kijken elkaar aan en sluipen weg. Door het dorp heen, langs het kruisbeeld, lopen we naar beneden, naar het riviertje, naar de plek waar de dam was.

De knijpers liggen er nog, verspreid tussen de bomen. We bukken en rapen tot we ze allemaal hebben en kijken dan naar de plek waar de dam was. Je kunt er bijna niets meer van zien.

We klimmen weer omhoog naar de weg. Willem geeft me een hand.

Bij het kruis blijf ik stilstaan.

'Weet je dat iemand mij riep toen Jantje bijna was verdronken?' zeg ik.

Willem kijkt me aan.

'Een engel,' zeg ik. 'Of Jezus.'

'Geloof jij dat?' zegt Willem. Hij kijkt omhoog naar Jezus.

'Ja,' zeg ik.

'Hoe weet je dat dan?' vraagt Willem.

'Dat weet ik gewoon,' zeg ik. 'Ik weet gewoon wat ik moet geloven.'

We lopen verder, langzaam, langs de huizen en de mensen. '*Bonsoir,*' groeten we.

Boven ga ik op de schommel zitten.

Het wordt donker.

Willem loopt naar de waslijn om de knijpers terug in de emmer te doen. Ik zet af en kijk hem na als hij naar binnen gaat. Ik ga ook zo naar binnen, ik heb zin om te borduren. Maar eerst oefen ik mijn Frans.

'*Arbre* is boom,' prevel ik. 'En *école* is school.'

Dan denk ik aan het meisje met de bruine paardenstaart, dat ik zag achter het raam van het klaslokaal van onze nieuwe school. Misschien wil ze naast me zitten.

Ik weet wat ik tegen haar ga zeggen.

'*Je m'appelle Silvie et j'ai onze ans,*' zeg ik hardop.

'Ik heet Silvie, en ik ben elf jaar.'

Wil je meer boeken lezen van Selma Noort?
Je vindt ze in de boekhandel of in de bibliotheek!
Hieronder staat iets over enkele van haar boeken die voor dezelfde leeftijd zijn als De dam.

Wolf kippekop

Wolf kent nog niemand in zijn nieuwe buurt, vlak na de verhuizing. Wonen er eigenlijk wel kinderen? De eerste mensen die hij leert kennen zijn veel ouder dan hij: Sjef en zijn brommervrienden, en Abbie, de buurvrouw. Met Abbie kan hij wel opschieten, maar Sjef is een probleem. Want die zit achter Wolfs zusje Rachel aan. En van haar moeten ze afblijven! Ook al noemt ze hem vaak 'kippekop'...

Ik hoef niet op schoot

Soms wil Martine niet meer thuis wonen, waar ze haar pestbroertje altijd voortrekken! Dan maakt ze in bed een tent van haar deken en wordt ze Loeki.

Loeki heeft een grote vriend, Dolf. Samen wonen ze in een huisje in het bos. Samen wandelen ze, samen doen ze boodschappen. Dolf zal alles betalen...

Maar als ze op een dag in een winkel gepakt wordt omdat ze zeggen dat ze gepikt heeft, is er geen Dolf. Dan is er alleen de politie, en een meisje dat niet meer weet of ze nu Martine is of Loeki.

Martine is bang, Loeki niet.

Martine Koperslager

Martine en haar broertje Adrie gaan naar de brugklas. Maar eerst hebben ze zes weken zomervakantie. Een vakantie die goed begint, want op de eerste dag ervan krijgt hun vader eindelijk weer een baan.

Martine gaat met hem mee naar de fabriek en op de vrachtwagen. Geen geschikte omgeving voor een meisje, vindt haar moeder. Maar Martine heeft geen moeite met wat ze tegenkomt. Ze heeft haar eigen gedachten, genoeg om haar bezig te houden!

Dit boek werd door de Griffeljury bekroond met een Vlag en Wimpel.